城市轨道交通高技能人才培训系列教材——维修类

给排水维修员

JIPAISHUI WEIXIUYUAN

宁波市轨道交通集团有限公司运营分公司◎编

西南交通大学出版社
·成 都·

图书在版编目（CIP）数据

给排水维修员 / 宁波市轨道交通集团有限公司运营分公司编. —成都：西南交通大学出版社，2017.9
城市轨道交通高技能人才培训系列教材. 维修类
ISBN 978-7-5643-5554-8

Ⅰ. ①给… Ⅱ. ①宁… Ⅲ. ①给水设备－维修－技术培训－教材②排水设备－维修－技术培训－教材 Ⅳ. ①TU96

中国版本图书馆 CIP 数据核字（2017）第 159757 号

城市轨道交通高技能人才培训系列教材——维修类
给排水维修员
宁波市轨道交通集团有限公司运营分公司 编

责任编辑	牛 君
特邀编辑	张秋霞
封面设计	何东琳设计工作室
出版发行	西南交通大学出版社 （四川省成都市二环路北一段 111 号 西南交通大学创新大厦 21 楼）
发行部电话	028-87600564 028-87600533
邮政编码	610031
网址	http://www.xnjdcbs.com
印刷	四川煤田地质制图印刷厂
成品尺寸	210 mm × 285 mm
印张	8.25
字数	250 千
版次	2017 年 9 月第 1 版
印次	2017 年 9 月第 1 次
书号	ISBN 978-7-5643-5554-8
定价	24.00 元

课件咨询电话：028-87600533
图书如有印装质量问题 本社负责退换

编审委员会

本书编写人员

主　　编　屠鹤君　徐　彪　占春英

副主编　陈良松

参　　编　汤建平　李　勇　陈　坚　陈　强

　　　　　陈　敏　苏虹杰　胡显斌

序

宁波市轨道交通集团有限公司运营分公司成立于2012年7月30日，主要负责宁波轨道交通运营管理、列车运行、控制监督、员工培训及对土建设施、车辆和运营设备的保养、维修等工作。截至目前，宁波轨道交通1号线、2号线一期运营已成“十”字骨架型结构，运营里程74.5千米。根据宁波市人民政府《转发国家发展改革委〈印发国家发展改革委关于宁波市轨道交通近期建设规划（2013—2020年）的通知〉的通知》（甬发改交通〔2013〕538号），2020年宁波轨道交通线网将建成5条线，线网规模达171.6千米；远景线网在2020年网络的基础上进一步形成环线，增加射线和快线，呈“一环两快七射”的布局结构，线网规模达409千米。

运营人才是宁波轨道交通安全运营和可持续发展的第一要素。随着宁波轨道交通运营里程的快速增长，至2020年运营员工人数将从现在的3 000多人增加到万人以上。运营人才的数量和质量问题日渐突出，亟待解决。国家发展和改革委员会、教育部、人力资源和社会保障部在《关于加强城市轨道交通人才建设的指导意见》（发改基础〔2017〕74号）中指出，企业在人才培养工作中负有主体责任，要强化人才建设规划引领、健全人才培养标准体系。宁波轨道交通作为行业“新兵”，近年来在运营技能人才培养工作中进行了大胆实践和创新。2014年宁波市轨道交通集团有限公司运营分公司以电客车司机岗位为试点开发了包含素质模型、胜任力建设、岗位标准、培训标准、技能评价方案的人力资源管理体系，并配套编制了培训教材和技能培训视频。2015年开发工作以点带面覆盖到全部一线技能岗位。开发成果经专家评审，被宁波市科学技术局登记为宁波市科学技术成果。2016年，在前期开发成果的应用实践和效果评价基础上，按照“系统化分析、颗粒化分解、结构化重构”的指导思想，宁波市轨道交通集团有限公司运营分公司完善和优化了岗位业务模型、形成了基于业务模型的育人标准，以及“模块化、任务型”工作体系的培训教材、试题库和微课等。

城市轨道交通运营人才培养是一项系统工程，不仅需要科学规划、统一标准、完善体系，更需要考虑当前员工年轻化的特点，利用互联网在线学习、手机端移动学习技术，构建覆盖宁波轨道交通运营主要技能岗位的线上、线下相结合的立体化培训课程资源体系。依托工作岗位、实训基地，通过在实践中学习、在学习中实践的螺旋发展，不断提升培训的有效性。上述课程已在宁波轨道交通运营分公司技能员工的岗前培训、“订单班”学员实习以及承接国内其他轨道交通员工技能培训工作中得到应用并取得了良好的成效。本套“城市轨道交通高技能人才培训系列教材”的编写得到了浙江省轨道交通建设与管理协会赵彦年会长以及天津、杭州、青岛、无锡等国内轨道交通同行专家的指导和帮助，北京华鑫智业管理咨询有限公司为教材出版提供了技术支持。

宁波轨道交通开通试运营时间不长，在教材编写中难免会存在不足。同时，本套教材是基于宁波轨道交通运营设施设备和运营管理流程编写的，由于不同城市轨道交通所用的车辆、信号系统等不同，运营管理模式、一线员工岗位职责也有所差异，本套教材仅供国内同行参考，请同行专家提出宝贵意见。希望本套教材的出版不仅能够加快推进宁波轨道交通“选、育、用、留”一体化人力资源管理体系的建设，也能为中国城市轨道交通发展和运营人才培养工作尽一份绵薄之力。

宁波市轨道交通集团有限公司
党委副书记 副董事长 总经理
2017 年 7 月

前言 PREFACE

本书是宁波市轨道交通集团有限公司运营分公司组织编写的“城市轨道交通高技能人才培训系列教材——维修类”中的一本，全书由3部分组成：业务模型、培训教材、育人标准。

业务模型包括业务模块、工作事项、业务活动3个层级，广泛应用于宁波轨道交通一线员工的工作分析，是理解和分析岗位工作流程的重要方法和工具。

本书基于给排水维修员业务模型，通过对其技能要求、知识和规章要求、培训方法及课时、经验要求的定性和定量描述，建立了给排水维修员育人标准。同时，根据项目教学法，按照“模块”“任务”结构编写了相应的培训教材。

本书用于宁波轨道交通给排水维修员岗前培训及在岗培训，也可作为其他城市轨道交通企业员工、大中专院校学生的培训和学习教材，或供其他相关人员学习参考。书中还有一些与教材配套的数字化资源，通过扫描封面二维码，可以获得更丰富的内容。

编　者

2017年6月

目录

CONTENTS

给排水维修员初级业务模型

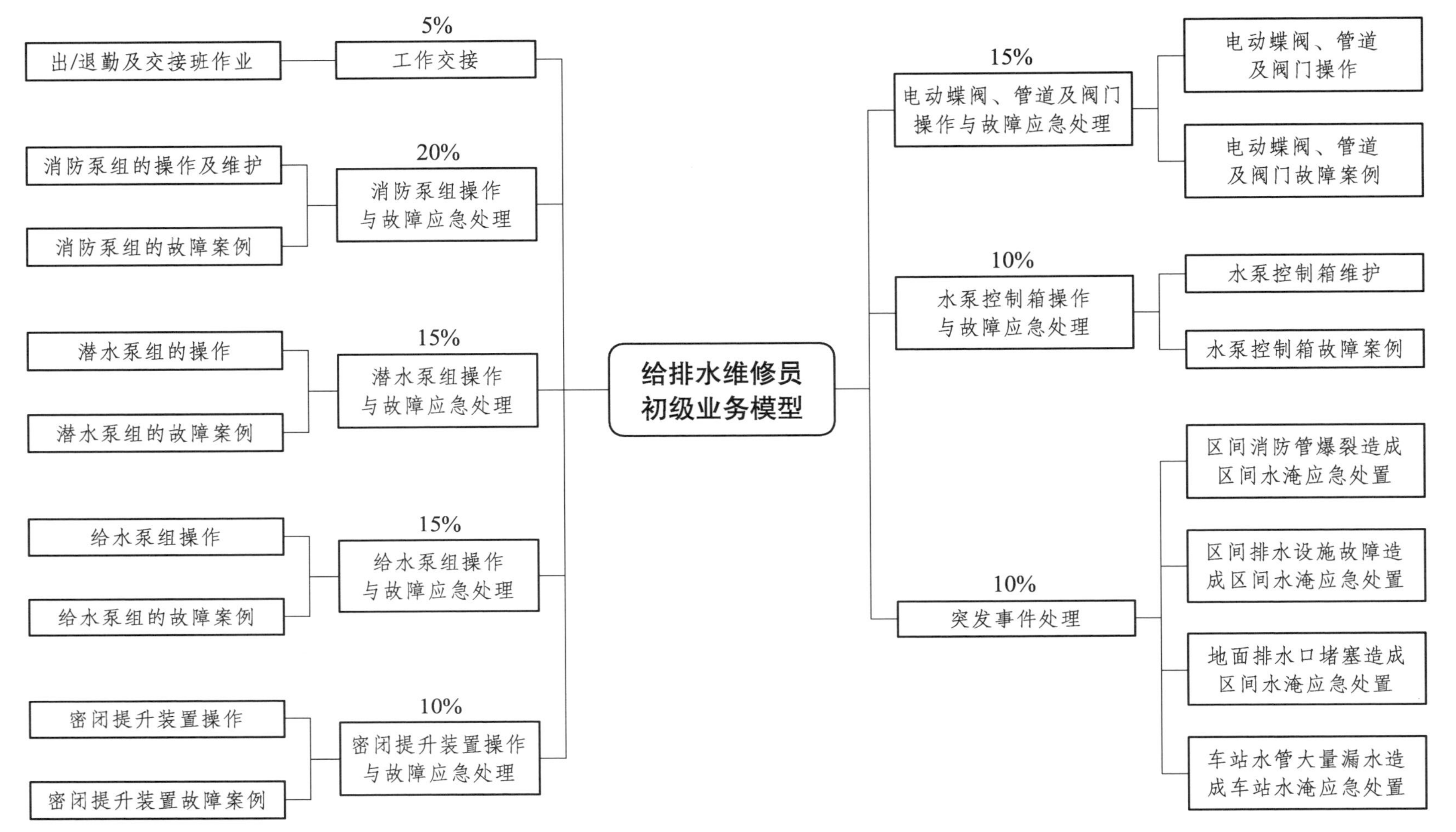

给排水维修员中级业务模型

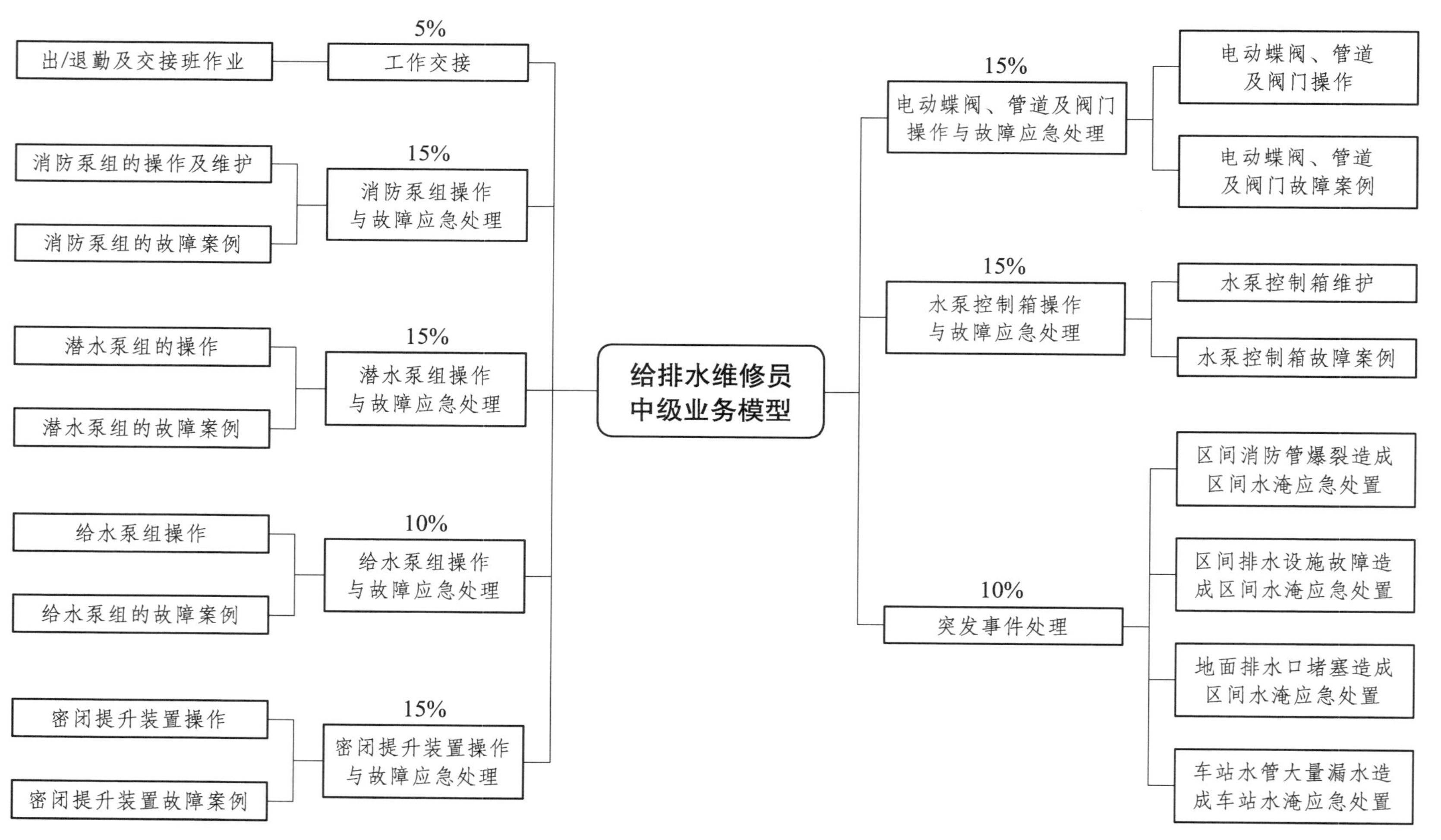

模块一　工作交接

案例导学

小明是地铁公司的一名普通给排水维修员。早上9点前，小明穿着工作服、劳保用品，乘坐地铁来到自己所在工班的车站，并在车站考勤点处打卡后来到工班。来到工班后，小明在工班长的安排下，开始了一天的工作。

那么小明每天是如何开展工作的呢？地铁公司各个岗位的工作每天又是如何有条不紊地运转起来的呢？以上问题可以通过本模块的学习得到答案。

学习目标

（1）掌握出/退勤、交接班办理的流程及注意事项。

（2）掌握出/退勤、交接班办理台账的填写要求及注意事项。

技能目标

（1）能够独立完成出/退勤、交接班的办理。

（2）能够正确填写出/退勤、交接班相关台账。

任务一　出/退勤及交接班作业

相关知识

为努力打造一流的城轨运营企业，建设一支素质较高、技术过硬、协作良好的员工队伍，建立“安心、快捷、舒适”的运营服务品牌，切实加强运营班组管理，不断夯实运营管理基础，要求员工做到按时出/退勤，并做好交接班作业。

工作时间及安排按分公司正常上班时间进行。“日”班：9：00—17：00（夏时令延迟到17：30下班）为标准。倒班：“白”为8：00—20：00，“夜”为20：00—次日8：00，每日工作时间安排为12 h，原则上任何员工每日连续工作时间不得超过12 h。“小夜”：6 h，工作时间达6 h算作“小夜”，上过“小夜”的员工将有一天调休。各工班每季度按照分公司综合标准工作工时的要求来调整排班。

一、出/退勤业务活动

（1）办理出勤手续。

（2）着装规范，备品齐全。

（3）工作报备及填写台账。
（4）办理退勤手续。
（5）汇报当班的作业完成情况。
（6）填写设备作业相关台账。
（7）检查他人劳保用品穿戴、台账填写情况。

二、交接班作业业务活动

（1）交接班双方人员必须做好交接班的准备工作。
（2）查看相关设备运行记录表。
（3）介绍运行状况和方式以及设备巡检、维修、变更情况。
（4）做好中心故障记录。
（5）检查设备状况。
（6）相关工班工器具，仪器、仪表清点移交。

任务实施

一、出/退勤

（一）出勤

（1）准时到指定值班点进行打卡考勤。
（2）着装规范，工器具携带齐全。
（3）与值班组长进行工作报备。
（4）对交班人填写的《中心交接班记录本》中描述的设备工作情况及其他需要说明情况进行确认并签字。

（二）退勤

（1）与接班人交接完工作后在值班点进行退勤打卡。
（2）归还工班工器具及仪器仪表。
（3）汇报当班的运营情况。
（4）填写相关设备巡检、保养、故障维修台账。
（5）填写好《中心交接班记录本》并与接班人确认签字。
（6）参加早班会，掌握全天工作任务、注意要点、安全须知。
（7）班务整顿、6S 工作保持。
（8）参加晚班会，总结全天工作情况、注意要点、安全通报。
（9）班务整顿、工器具和物料整理。
（10）知晓夜间检修作业任务，领取施工作业令，施工准备。

二、交接班作业

（1）交接班双方必须做好交接班准备工作，准时进行交班。
（2）查看相关设备运行记录表。
（3）介绍运行状况和方式，以及设备巡检、维修、变更情况。

（4）做好中心故障记录。
（5）检查设备状况。
（6）相关工班工器具、物料清点移交。

任务评价

根据以上学习内容，评价自己对本任务内容的掌握程度，在下表相应空格里打“√”。

评价内容	差	合格	良好	优秀
对出/退勤，交接班作业的流程办理及台账填写掌握程度				
学习中存在的问题或感悟				

模块训练

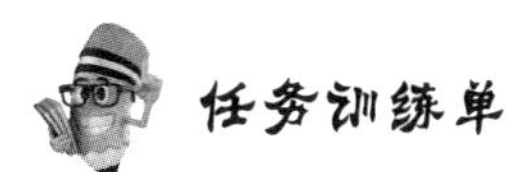

班级： 姓名： 训练时间：

<table>
<tr><td>任务训练单</td><td>工作交接相关作业</td></tr>
<tr><td>任务目标</td><td>掌握出/退勤、交接班办理的流程及注意事项，并能掌握出/退勤、交接班办理台账的填写</td></tr>
<tr><td>任务训练</td><td>请从下列任务中选择其中的两个进行训练：简述出/退勤的流程及注意事项，简述交接班办理的流程及注意事项</td></tr>
<tr><td colspan="2">任务训练一
（说明：总结作业流程，并在工作交接中完成训练）</td></tr>
<tr><td colspan="2">任务训练二
（说明：总结作业流程，并在工作交接中完成训练）</td></tr>
<tr><td colspan="2">任务训练的其他说明或建议：</td></tr>
<tr><td colspan="2">指导老师评语：</td></tr>
<tr><td colspan="2">任务完成人签字： 日期： 年 月 日
指导老师签字： 日期： 年 月 日</td></tr>
</table>

模块小结

本模块讲述了工作交接过程中，出/退勤、交接班作业的主要流程，要求我们掌握出/退勤及交接班作业的流程及注意事项。出/退勤业务活动包括正确办理出/退勤手续，着装规范及填写台账等。

同时，本模块介绍了出/退勤、交接班作业台账的书写，包括设备巡检、保养、故障维修等台账以及《中心交接班记录本》的填写。

模块自测

一、填空题

1. 出/退勤的业务活动包括办理出勤手续、(　　　　　　　　)、工作报备及填写台账、办理退勤手续、(　　　　　　　　　　　)、(　　　　　　　　　　　)和检查他人劳保用品穿戴、台账填写情况。

2. 交接班双方人员必须做好交接班准备工作，(　　　)进行交班；查看(　　　　　　　)；介绍运行状况和方式，以及设备(　　　　　　　　　　)情况；做好中心故障记录；检查设备状况；相关工班(　　　　　　　　)清点移交。

二、简答题

1. 简述交接班作业的业务活动。
2. 简述出/退勤的主要流程及注意事项。

模块二　消防泵组操作与故障应急处理

案例导学

炎炎夏日，某地铁站内浓烟滚滚，警报长鸣，该地铁站发生了火灾。10 min 后，消防大队赶赴地铁车站，消防队员手持高压水枪对着火点进行喷射，经过近半小时的喷射，火势逐渐得到了控制，并最终被熄灭。

那么，消防泵组在该过程中到底发挥了怎样的作用？如果消防泵组发生了故障又会有什么后果呢？下面我们通过本模块的学习，对以上问题给予解决。

学习目标

（1）掌握消防泵组的结构、功能等。
（2）掌握消防泵组启动前应检查的相关阀门、仪表状态等注意事项。
（3）掌握消防泵组远程、就地及现场消火栓箱内启泵按钮三种启泵方式。
（4）掌握消防泵组日巡检、月保养、季保养、年保养的检修保养规程及检修内容。
（5）掌握消防泵组检修保养记录单的填写要求。
（6）了解消防泵组漏水、不上量、震动大等故障的原因及处理办法。
（7）了解更换消防泵组的阀门的流程及故障处理记录的要求。
（8）掌握故障处理记录的要求。

技能目标

（1）能够在启泵前对消防泵组相关阀门、仪表进行确认。
（2）能够在消防泵发生误启泵时，及时对消防泵进行停泵操作。
（3）能够按照消防泵检修保养规程及检修内容对消防泵进行保养，并正确填写保养记录单。
（4）能够分析消防泵组漏水、不上量、震动大等故障的原因及具备协助处理相关故障能力。
（5）能够更换消防泵的阀门。
（6）能够正确填写故障处理记录。

任务一　消防泵组的操作及维护

消防泵组主要为各车站的消火栓泵、消火栓稳压泵、配套气压罐及自动巡检装置。消防泵应具有稳压、缓冲功能，变流恒压，能有效防止小流量超压。

一、消防泵组构成

消防泵控制箱采用一控多方式，根据需要控制的水泵数量确定。水泵通过控制箱实现远程控制和现场手动控制的功能。对各类场合的清水泵，控制箱按功能可分为以下几种类型。

（一）一般地下车站消防泵

一般每个地下车站内设两台消防泵，互为备用、定期巡检，具有故障互投功能。消防泵设控制室远程、就地手动控制和消火栓箱内按钮启动控制（见图 2-1）。

图 2–1 一般地下车站消防泵组图

（二）高架车站消防泵组

高架车站内设消防泵组一套，其中含两台主泵，两台稳压泵，一个气压罐。泵均是互为备用，可定期巡检，具有故障互投功能。平时由气压罐和稳压泵工作保证管网压力，消防时启动消防主泵。消防泵设控制室远程控制、系统自动控制和就地手动控制及消火栓箱内按钮启动控制（见图 2-2 ~ 图 2-5）。

图 2–2 消火栓箱

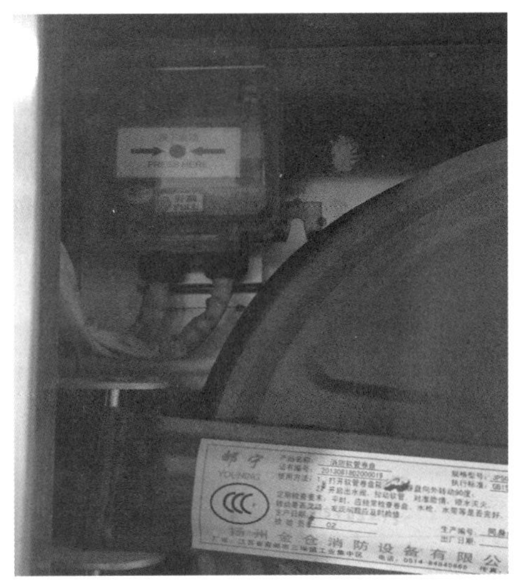

图 2–3 启泵按钮

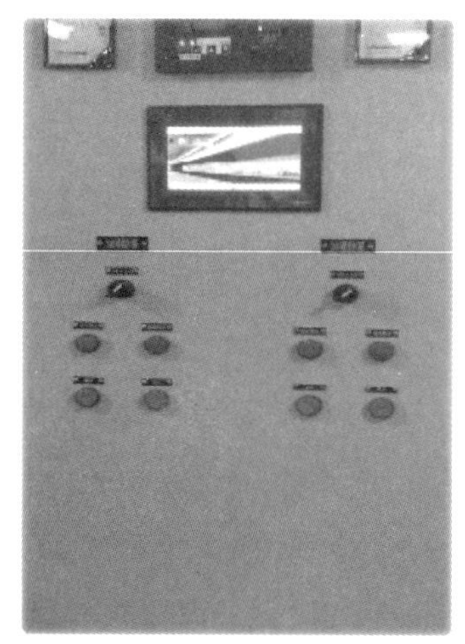

图 2-4 就地手动控制

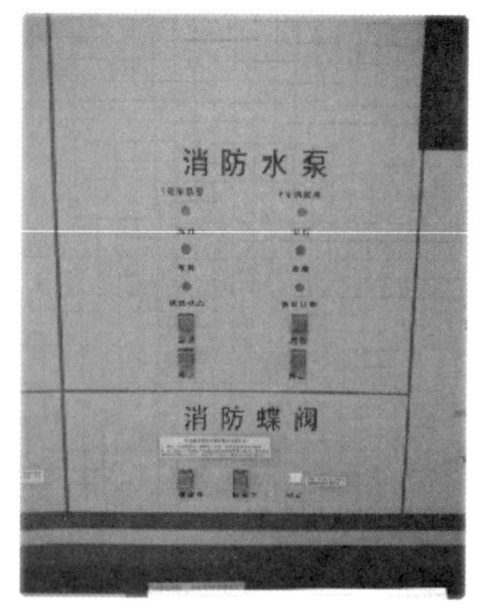

图 2-5 控制室远程控制

二、消防泵组的设备构成单元

（一）消防泵控制箱

消防泵控制箱采用一控多方式，根据需要控制的水泵数量确定。水泵通过控制箱实现远程控制和现场手动控制的功能，如图 2-6 所示。

图 2-6 消防泵控制箱

（二）消防主泵

消防给水主泵主要用于消防系统管道增压送水，如图 2-7 所示。

图 2-7 消防主泵

（三）消防稳压泵

稳压泵配合主泵，稳高压。消防给水系统的稳压泵必须在平时保持运行状态，维持管网压力，在火灾发生时，仍应能运行一段时间，直至主消防泵启动时为止，须按主、备泵设置稳压泵（见图 2-8）。

（四）稳压罐

根据波义耳气体定律，利用水压缩性极小的性质，用外力将水储存在罐内，气体受到压缩，压力升高，当外力消失时，压缩气体膨胀可将水排出。起到蓄能器的作用，会增加系统整个水的容纳空间（见图 2-9）。

图 2-8　消防稳压泵

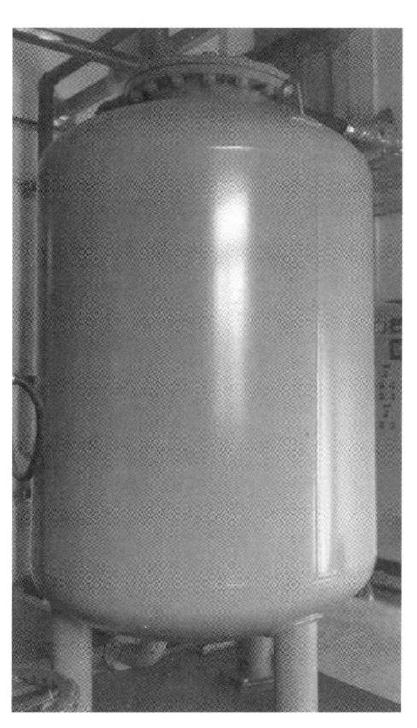

图 2-9　消防稳压罐

三、地铁消防系统及消防泵组的介绍

（1）地下车站消防给水系统。车站由室外引入两路 *DN*150 的给水管（设自动喷水灭火系统的车站引入管管径为 *DN*250），从车站两端风亭分别进入站厅层消防泵房。经消防泵加压后，与车站独立的 *DN*150 消防环状管网相接，并由站台层两端进入区间，区间设 *DN*150 的消防给水干管，并在区间的联络通道（或相邻车站近端部）设置连通管。本车站供水分区包括本车站及本车站左右各半个区间（或整个区间），平时本供水分区由消防给水引入管（市政水压）对消防系统进行稳压。

（2）地下车站风亭的地面上设水泵接合器，水泵接合器 15 ~ 40 m 范围内设有室外消火栓。

（3）地下区间消火栓仅设栓口，不设消火栓箱，亦不放置水龙带，但设水泵启动按钮，消防水龙带设置在邻近车站站台端的区间专用水龙带箱内。地下区间消火栓间距不超过 50 m。由车站进入区间时，第一个区间消火栓的位置距车站设计范围端点 20 m 以内。

（4）地下车站消火栓间距按现行规范计算确定，单口消火栓不大于 30 m，双口消火栓不大于 50 m。车站站厅层及出入口的消火栓采用单口单阀消火栓，在车站站台层及出入口端部局部采用双口消火栓。箱内上部设口径为 *DN*65 的单口单阀或双口双阀消火栓，水枪喷嘴直径为 19 mm，每根水龙带长 25 m，箱内设自救式软管卷盘一套。

（5）高架车站消防给水系统：车站由室外引入两路 *DN*150 的给水管，进入站厅层消防泵房，经消防泵及稳压泵加压后，与车站独立的消防环状管网相接。

（6）高架车站室内消火栓间距应由计算确定。消火栓采用单口单阀消火栓。消火栓箱采用带灭火器组合式大型消防箱，箱内上部设口径为 *DN*65 的单口单阀消火栓，水枪喷嘴直径为 19 mm，每根水龙带长 25 m，箱内设自救式软管卷盘一套。

（7）高架区间消防利用市政消防设施，不单独设置水消防系统。

（8）车站消火栓泵房：设有两台消防泵，一用一备，一级负荷，由 FAS 进行监控。消防泵由消防按钮控制、车站综控室远程控制、就地（消防泵控制柜）手动控制启、停。当工作泵发生故障时，能自动切换开启备用泵。高架车站另设稳压泵，自动稳定管路内压力。

四、消防泵组的启动流程

（一）火灾情况下现场紧急启泵流程（见图 2-10）

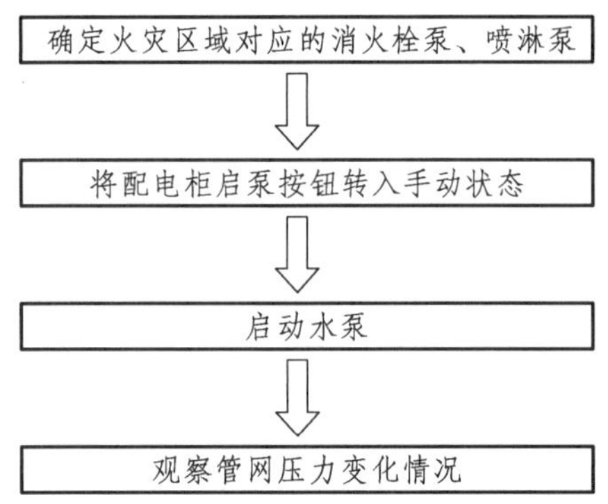

图 2-10　火灾情况下现场紧急启泵流程图

（二）消火栓泵实验流程（见图 2-11）

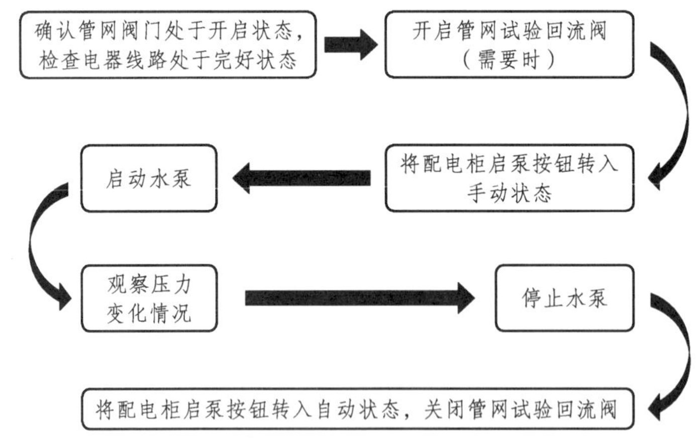

图 2-11　消火栓泵实验流程

一、消防泵组的操作知识

消防泵组的操作可分为就地手动操作和 IBP 盘远程操作两种方式。

（一）就地手动操作消防泵组

1. 请点

车站请点，通过车站联系环调，请求启动或停止消防泵。

2. 启动前检查

（1）检查管道压力。
（2）检查阀门状态。
（3）检查控制箱内线路情况。

3. 启动

（1）消防泵房控制柜上先将“手自动”转换开关切换到左边的“手动”位。
（2）按下面板上绿色的“启动”按钮。

4. 停止

（1）消防泵房控制柜上先将“手自动”转换开关切换到左边的“手动”位。
（2）按下面板上绿色的“启动”按钮。

5. 确认泵开启

控制柜上的绿色“运行”指示灯亮起。

6. 确认泵停止

控制柜上的绿色“运行”指示灯熄灭。

7. 启动后现场检查消防泵运行状态

8. 办理销点手续

（二）IBP盘远程操作消防泵组

1. 请点

车站请点，通过车站联系环调，请求启动或停止消防泵。

2. 确认“就地状态”指示灯熄灭

3. 启动前检查

（1）检查管道压力。
（2）检查阀门状态。
（3）检查控制箱内线路情况。

4. 启动

（1）打开红色的“启动”按钮外面塑料保护罩。
（2）按下红色启动按钮即可启动消防水泵。

5. 停止

（1）打开绿色的“停止”按钮外面塑料保护罩。
（2）按下绿色停止按钮即可启动消防水泵。

6. 确认泵开启

IBP盘上的“运行”指示灯亮起。

7. 确认泵停止

IBP 盘上的“运行”指示灯熄灭。

8. 启动后现场检查消防泵运行状态

9. 办理销点手续

二、消防泵组的维护知识

根据《机电设备维修规程》中消防泵保养规定，消防泵组的日常维护主要包括日巡检、每月的功能性试验、季保养和年保养。

（一）日巡检有关内容

（1）压力表显示是否正常。
（2）各管阀及机泵是否漏水。
（3）设备、水泵表面及周围环境清洁，设备房的清洁。
（4）泵房内扬水管压力表读数做好记录。
（5）各转换开关位置是否正确（电源切换箱：手动/停/自动应置自动，否则应在了解情况后，转自动）检查指示灯指示是否正确。

（二）月功能性试验有关内容

（1）每月进行一次启泵试验（喷淋系统功能试验）。
（2）泵组运转有无异响和振动现象。
（3）稳压罐运行正常。
（4）检查机组螺丝是否松动，检查箱体及元器件是否破损、松动。

（三）季保养有关内容

（1）包含上一级保养。
（2）检查箱内元器件是否有发热痕迹，是否有异响。
（3）检查是否有断路器跳闸，如有，则在具备试合条件后，试合闸一次，试合不成功则报故障维修。
（4）检查指示灯、开关、按钮、电缆（导线）等元器件标识是否齐全完好，修补完善标识。
（5）控制箱体内部清洁。
（6）检查控制箱体及元器件是否破损、安装松动，安装紧固。
（7）检查转换开关转动是否灵活可靠。
（8）主、控回路接线紧固，各接线端子接线紧固，线路绑扎、整理，有无发热、破损等。

（四）年保养有关内容

（1）包含上一级保养。
（2）泵组所有阀门关闭、开启一次，并对阀门螺杆涂油。
（3）检查断路器整定值设置是否正确。
（4）设备、水泵除锈油漆。
（5）稳压罐、自动泄压阀等功能情况，保持完好。

三、消防泵组的故障及处理方法

表 2-1 常见故障处理办法

故障	原因	解决方法
泵不吸水，压力表指针剧烈摆动	灌水不够，管路与仪表连接处漏气	重新放气灌水，拧紧或检修漏气处
水泵不吸水，真空表表示高度真空	吸水管阻力太大，吸水高度过高	检修水管，降低吸水高度
压力表有压力，但仍不出水	旋转方向不对，叶轮堵塞，泵转速不足	检查电机，清除叶轮内的污物，增加泵转速
流量低于设计要求	水泵堵塞，或密封环磨损过多	清理水泵及管路，更换密封环
机械密封泄漏	摩擦副磨损严重，或密封面划伤	更换机械密封，重新研磨密封面
水泵过热，轴承过热	电机与泵不同心，轴承缺油或磨损	调整电机与泵轴的同轴度，加油或更换轴承
手动、自动均无法启动某台水泵	热继电器或空开跳，中间继电器故障	检查热继电器是否故障，空开是否合上，相应中间继电器是否正常
水泵启动频繁	稳压罐内气体减少	重新充气
水位显示不正常，与水池实际水位不同	KEY 浮动开关接法不对	调整浮动开关的接法
启动运行中交流接触器火花大	动力电源线容量小或动力电源容量不够	更换动力电源线或加大动力电源容量
	电机对地漏电率大	烘干电机

任务评价

根据以上学习内容，评价自己对本任务内容的掌握程度，在下表相应空格里打“√”。

评价内容	差	合格	良好	优秀
对消防泵组系统结构、启泵流程等的掌握程度				
对消防泵组维护故障处理作业流程的掌握程度				
学习中存在的问题或感悟				

任务二 消防泵组的故障案例

一、故障概况

（1）设备名称：消防泵组。
（2）故障类型：消防泵频繁自动启泵，1 级报警同时可造成消防泵损坏。
（3）故障程度与等级：设备一般故障。

二、故障处理经过简介

（一）故障信息获得

车站站务向二级调度报告：消防泵启动发出 1 级报警。

（二）先期故障预判断及准备内容

先期判断有以下 4 种原因。

（1）有人按下消防泵启动按钮。

（2）消防泵控制柜元器件故障。

（3）消防泵按钮故障。

（4）控制回路故障。

准备内容：备件、仪表、工具、对讲机、泵房钥匙。

（三）故障现象确认及初步诊断

因为是消防泵自动启泵，所以初步诊断如下。

（1）人为按下消防按钮。

（2）消火栓按钮玻璃损坏。

（3）控制回路故障。

（四）故障实际查找过程及确认

（1）到现场后，首先将消防泵控制开关设置为本地控制，同时将消防泵主回路电源断电，并检查消防泵有无损坏，检查消防泵电控箱元器件是否工作正常，有无异常情况。

（2）逐个检查消火栓按钮状态是否正常，先检查站台公共区域，因为该区域为乘客滞留密集区域，出现乘客误操作可能性最大，其次检查站厅区域，该区域为乘客流动密集区，也有可能出现乘客误动作，最后检查内部工作区。

（3）如果所有消火栓按钮正常，则有可能是按钮控制回路断路和短路或绝缘阻值降低造成（消火栓按钮控制回路有两种，一种是串联控制，一种是并联控制，当串联控制回路断路或并联控制回路短路时均会造成上述故障）。处理方法：分段检查，逐段排除，最终找到故障部位加以处理。

（4）如果是由于环境潮湿造成消火栓按钮控制回路绝缘降低，可分段进行检测，查找出故障点，经过检查测量发现本站消火栓按钮控制回路存在多处绝缘降低现象，绝缘阻值一般为 12 kΩ ~ 20 kΩ。

（5）检查测量控制回路继电器（KA4）线圈电压为 127 V，造成该继电器抖动，导致控制回路接通造成消防泵自动启泵。正常情况下，控制继电器（KA4）线圈电压应为零，只有在消火栓按钮接通，给继电器线圈施加 AC220V 电压时，继电器动作接通控制回路启动消防泵，由于消火栓控制回路绝缘降低，电源经系统绝缘降低形成的虚拟阻抗与 KA4 形成串联回路，当虚拟阻抗降低到一定值时，电路分压给 KA4 的电压使其动作，从而造成消防泵误动作。

通过分析确认消火栓控制回路绝缘降低造成控制继电器动作。

（五）故障排除方法及结果

重新布线困难较大（由于是暗埋施工），更换不同型号的 KA4 继电器即可解决问题，原 KA4 继电器使用的是高阻抗线圈的继电器（型号 HH54P），线圈测量电阻为 14 kΩ，现改为低阻抗线圈的继电器（型号为 CA2DN22），其线圈测量电阻值为 0.6 kΩ。

三、原因分析

本故障产生的直接原因是消火栓按钮自动控制回路受环境因素影响，消火栓按钮控制系统绝缘阻值降低。

直接原因产生的因素分析：消防泵是地铁必备的消防设施，它不同于一般的独立设备，其消火栓按钮自动控制系统遍布全站各个角落，分布广、线路长，受运行环境因素影响较大，同时存在一定的施工质量问题，敷设管线时各种绝缘处理不规范，再有就是地面线设备受天气环境影响较大，季节温差大，通常温差在 70 °C 以上，电器线路老化程度高，阴雨潮湿对暗埋于结构中的管线腐蚀严重，上述原因是产生故障的因素。

四、案例处理优化分析

（一）此类故障正确处理（判断）的方式方法及关键步骤（正确的处理步骤）

（1）首先使消防泵停止运行，在机房将电控柜手自动转换开关打到本地手动，将消防泵主回路空开断电，同时做好有关登记手续。

（2）检查消防泵是否正常，检查消防泵控制柜元器件是否工作正常，将电控柜打成自动状态，检查测量自动回路控制继电器 KA4 线圈两端电压是否正常，如果线圈电压为 220 V 说明消火栓按钮回路接通或控制回路短路，如果电压不正常（低于电源电压）说明消火栓按钮控制回路存在绝缘降低问题。

（3）逐个检查消火栓按钮状态是否正常，有无动作或玻璃损坏。如果按钮动作进行恢复，玻璃损坏进行更换。

（4）如果所有消火栓按钮正常，则有可能是按钮控制回路断路或绝缘阻值降低造成，应更换局部线路。

（5）更换相关的元器件。

（二）故障处理经过分析

确定为控制线路绝缘降低的原因后，需要更换线缆，控制回路绝缘越高越好，但由于原线路是暗埋施工，并且旧线缆无法抽动，所以通过更换控制线路来解决故障难以实现。

（三）故障处理的优化分析

本次设备故障是由于消火栓按钮自动控制回路绝缘阻值降低造成，首先看控制回路绝缘阻值是否低于国家规定相关线缆的绝缘标准，按照国标相关规定 1.5 m^2 塑料绝缘控制电缆长期允许工作温度下的最小绝缘电阻为 0.011 MΩ · km，通过测量本控制回路绝缘阻值没有低于国标规定数值标准，因此不是必须更换系统控制电缆才能解决的问题，处于正常使用范围，因此更换低阻抗线圈继电器使线圈减小回路分压，使继电器在控制回路绝缘降低时不动作，来实现对故障的排除。

五、专家提示

处理故障时，不要对指标完全信服，经验也是非常重要的。摄像机、四画面故障时，通过指标测试非常及时准确。视频线缆测试时，一是单线对地测试，二是线间测试。若是指标正常，那就要想到干扰，处理干扰问题。经验非常重要，地铁电磁和尘土干扰最多。视频信号在这样的环境中，干扰故障较多。

例一：不固定干扰。当列车进出站时，放出弧光。这时看监视器图像，一是颜色发生变化，二是图像扭动。

例二：固定干扰，当摄像机或视频线缆遇到低频信号干扰时，监视器出现干扰纹。有的是横纹慢慢滚动，有的是竖纹慢慢滚动。

本次故障因为处理时没有及时找到故障点，造成故障重复发生。对运营指标造成影响，应吸取以下教训。

（1）四画面、监视器等技术指标。测试正常，但测完无法肯定，因此更换了没有故障的四画面、监视器。

（2）没有找到故障点，应该留人盯守，并积极组织力量，查找原因。

六、预防措施

（1）首先对消防泵控制原理要清楚，对电控柜元器件作用熟练掌握。

基本原理：消防泵的几种控制方式要清楚，包括手动控制方式、自动控制方式、BAS 控制方式，以及紧急启动方式的控制原理必须熟练掌握。消防泵 PLC 输入输出回路的作用要熟知。

（2）平时多积累经验。

① 出现设备故障现场处理，提高判断力和动手能力。

② 多参与施工和调试工作，便于把理论和实践相结合。

③ 与厂家或师傅共同处理故障时，要多问、多看、多听、多做，做好必要记录，便于以后独立解决疑难问题。

（3）处理故障要果断，避免他人干扰思路。

遇到故障不要紧张，不要想着故障变成 C 类事故会扣钱，造成心理压力。处理故障一般需 3 个人左右，遇到疑难的故障，一个人有一个想法思路。主处理人听完后要多加以分析，认为对的要坚持并立即去做，避免时间过久而耽搁。

七、思考题

（1）简述消防泵组的启泵条件。

（2）简述消防泵组误报警的处置流程及注意事项。

模块训练

任务训练单

班级：　　　　　　　　姓名：　　　　　　　　训练时间：

<table>
<tr><th>任务训练单</th><th>消防泵组相关作业</th></tr>
<tr><td>任务目标</td><td>掌握消防泵组的系统结构、启泵流程，能进行消防泵组的日常维护保养作业，并能够进行消防泵组的故障处理</td></tr>
<tr><td>任务训练</td><td>消防泵组的就地手动操作、消防泵组的 IBP 盘远程操作、消防泵组的自动泄压阀压力的设定、消防泵组的月功能性试验操作等</td></tr>
<tr><td colspan="2">任务训练一
（说明：总结作业流程，并在实训室进行实操训练或上机在模拟软件上完成实操训练）</td></tr>
<tr><td colspan="2">任务训练二
（说明：总结作业流程，并在实训室进行实操训练或上机在模拟软件上完成实操训练）</td></tr>
<tr><td colspan="2">任务训练的其他说明或建议：</td></tr>
<tr><td colspan="2">指导老师评语：</td></tr>
<tr><td colspan="2">任务完成人签字：　　　　　　　　日期：　　年　　月　　日
指导老师签字：　　　　　　　　日期：　　年　　月　　日</td></tr>
</table>

模块小结

本模块讲述了消防泵组的构成、地铁消防系统和消防泵组的介绍、消防泵组的启动流程等。要掌握这些作业，首先要掌握消防泵组的结构、功能等。消防泵组由消防控制柜、消防主泵、消防稳压泵、稳压罐等构成。消防泵组是车站水箱消防系统中的最重要组成部分之一。

同时，本模块介绍了消防泵组的日常维护和常见故障处理，包括消防泵组的日巡检，每月的功能性试验，季保养及年保养。此外，消防泵组的常见故障包括水泵不吸水，机械密封泄漏，手动、自动都无法启动某台水泵，水泵启动频繁等。模块中对于典型故障给出了相关的处理案例。

模块自测

一、填空题

1. 消防泵组主要由消防泵控制箱、(　　　　　)、(　　　　　)和(　　　　　)组成。

2. 根据《机电设备维修规程》中消防泵保养规定，消防泵组的日常维护主要包括(　　　　　)、(　　　　　)、(　　　　　)和(　　　　　)。

3. 如果消防泵组出现手动、自动均无法启动某台水泵的情况，主要原因为(　　　　　)、(　　　　　)和(　　　　　)；我们应该通过检查(　　　　　)、(　　　　　)、(　　　　　)来解决故障。

二、简答题

1. 消防泵组在地铁车站扮演着什么样的角色？
2. 简述消防泵组的组成。
3. 简述消防泵组的月功能性试验的操作流程。
4. 简述消防泵组的常见故障及故障处理方法。(至少三条)
5. 简述消防泵组的季保养内容。
6. 请您根据本模块所学的知识，实操完成消防泵组的就地手动操作和IBP盘远程操作。

模块三　潜水泵组操作与故障应急处理

案例导学

台风将至，外面狂风呼啸，倾盆大雨，某地下车站敞口风亭雨水汇入附近的集水坑，几分钟后，水泵控制柜高水位报警，潜水泵自动抽水，经扬水管排至室外排水井，接入城市排水管网。

那么，潜水泵组在该过程中到底发挥了怎样的作用？如果潜水泵组发生了故障又会有什么后果呢？下面我们通过本模块的学习，对以上问题给予解决。

学习目标

（1）掌握潜水泵的结构、功能等。

（2）掌握潜水泵启动前应检查的相关阀门、仪表状态等注意事项。

（3）掌握潜水泵控制箱的控制原理、水泵液位的设定及能通过 BAS 界面远程操作的设备。

（4）掌握潜水泵每周巡检、季保养、年保养检修保养规程及检修内容。

（5）掌握潜水泵检修保养记录单的填写要求。

（6）了解潜水泵不上量、震动大等故障的原因及处理办法。

（7）了解潜水泵解体检查的作业流程。

（8）掌握好故障处理记录时的要求。

技能目标

（1）能够在起泵前对潜水泵组相关阀门、仪表进行确认。

（2）能够现场操作潜水泵。

（3）能按潜水泵检修保养规程及检修内容对潜水泵进行保养，并正确填写保养记录单。

（4）能够对潜水泵不上量故障作出准确的判断并具备处理能力。

（5）能够对潜水泵震动大故障作出准确的判断并具备处理能力。

（6）能够独立处理潜水泵解体检查的作业。

（7）能够正确填写故障处理记录。

任务一　潜水泵组的操作

相关知识

潜水泵组为车站废水系统及雨水系统的重要设备之一，WQ 系列潜水泵（凯泉）具有高扬程、深潜没、耐腐蚀、高可靠性、无堵塞、自动安装、自动控制且可全扬程工作等特点，可以排送含有一定磨蚀作用固体颗粒的介质。

一、潜水泵组构成

车站潜水泵组（见图 3-1）可配套电控柜、液位浮球开关，保证电机安全运行，自动控制电机的起停，无需专人看管。两道轴密封结构，密封性可靠；结构设计合理，泵性能可靠；独特的双通道叶轮，通过能力强。潜水泵组的结构说明介绍如下。

（a）

（b）

图 3-1　车站潜水泵组图

（1）潜水泵控制箱（见图 3-2）：潜水泵通过现场水泵控制箱实现控制功能，通过与 BAS 联动实现远程控制功能（见图 3-3。

（a）

（b）

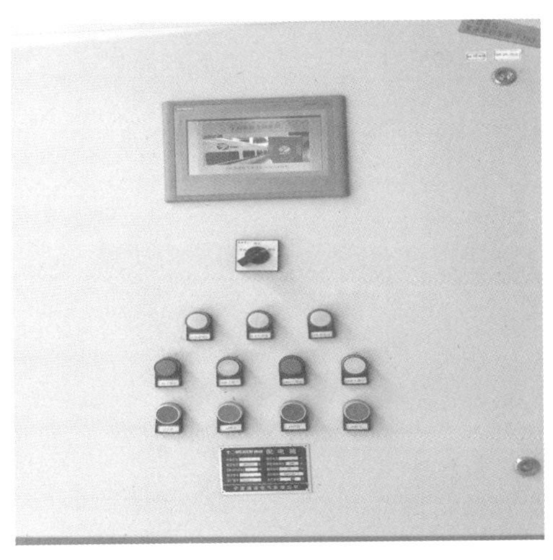

（c）

（d）

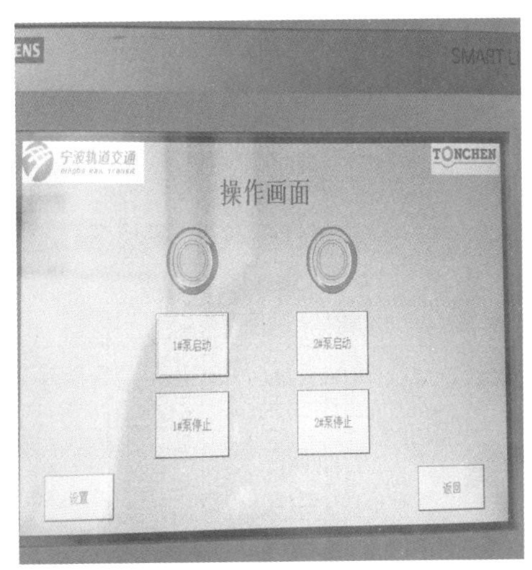

（e）

（f）

图 3-2 潜水泵控制箱

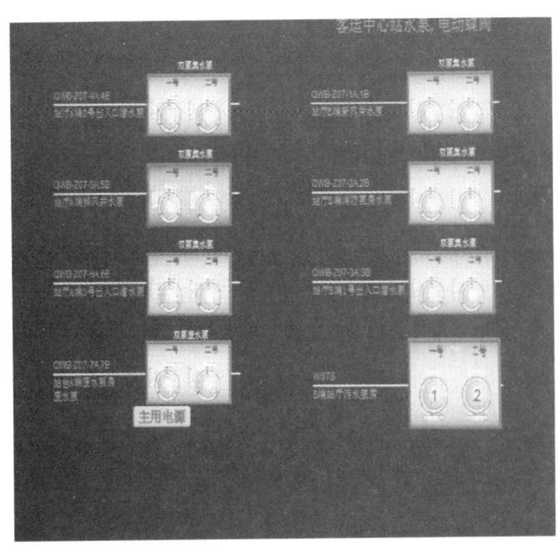

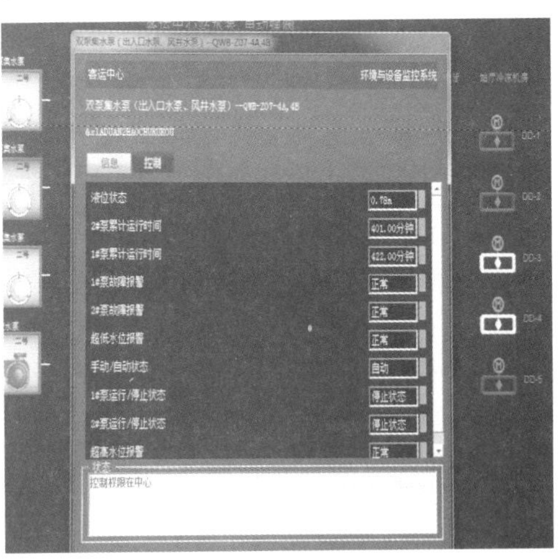

图 3-3 潜水泵 BAS 操作界面

（2）水泵叶轮：水泵叶轮用铸铁制成。水泵叶轮上的叶片起着主要作用。水泵叶轮的形状和尺寸与水泵性能有密切关系。在实测试验的基础上，精心选择和匹配泵体、叶轮，使不堵塞性好，效率高，功率曲线平坦，不易过载。叶轮平衡精确，振动小，运转平稳，如图 3-4 所示。

图 3-4　水泵叶轮

（3）电机：专门设计的潜水电机，IPX8 防护，F 级绝缘允许温升高，在正常温升条件下，电机绝缘寿命延长，而潜水冷却好，实际温升低，电机绝缘寿命更长，如图 3-5 所示。

（4）电机冷却：电机的发热通过机壳散热，介质只要淹没电机定子机壳一半，就能可靠安全运行，淹没越多，越有利于电机冷却。

（5）轴封：电机轴封采用两个独立的机械密封，形成两道可靠的密封防线。第一道在泵内介质中，密封面随介质压力增加压得更紧，有效阻止水进入油室，第二道在油室中，防止油进入电机内，若第一道失效（其工作条件比第二道差些），第二道仍可防止油水进入电机内。

（6）油室：油室是防止介质从泵轴进入电机的一道屏障，阻止介质渗透入电机，若第一道机封泄漏，由油室缓冲介质不能直接进入电机。同时对两个独立机封摩擦面润滑冷却，使机封工作更可靠，除此之外，它尚能带走下轴承和电机的一些热量。

（7）电缆及其密封：① 电缆为耐污水的重型橡胶软电缆，电缆线芯截面按 40 °C 环境温度及电机满载功率下长期可靠运行设计，当排污泵工作时，电机在非满载功率或在环境 40 °C 下运行，使用寿命将更长；② 电缆橡胶套与电机压盖间有密封压紧，防止介质从电缆与电机接盖口间渗入电机内腔；③ 电缆套与线芯间有树脂灌封，一旦橡胶外套划破，仍能防止介质从电缆套内进入电机。

（8）电机外壳：机壳、上端盖、压盖等组成电机外壳，各零件连接处有可靠的静密封，每台都经过可靠的水压试验检查，确保不渗漏。

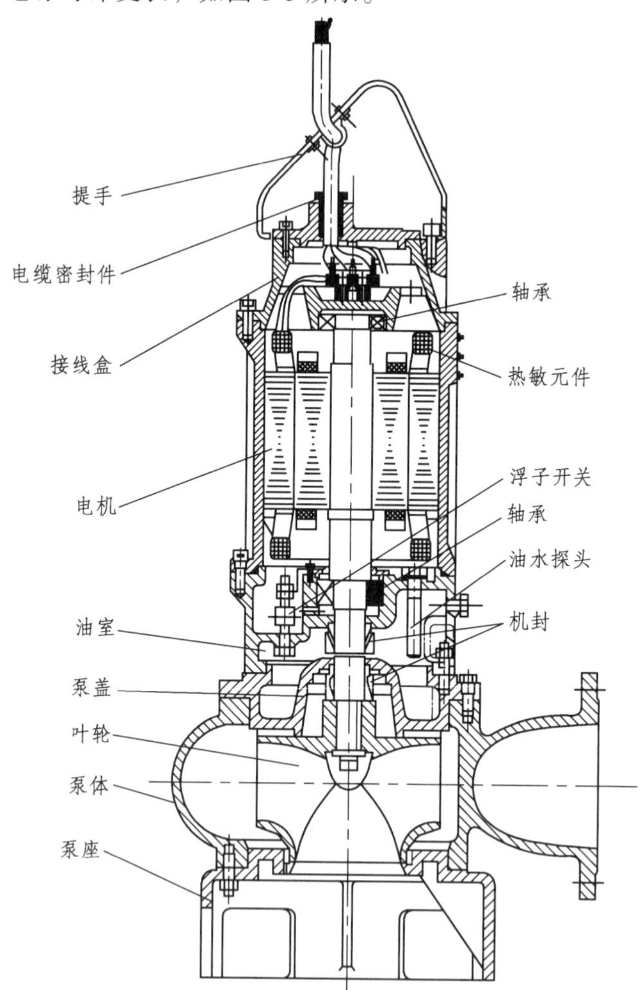

图 3-5　潜水排污泵结构图

（9）机泵内安全保护（通过专用电控柜起作用）。① 油水探头：安装于油室内，检测第一道机封（介质中）渗漏情况，当渗漏介质到油室内，达到一定比例时发出报警信号。② 浮子开关：安装在电机腔内，检测第二道机封渗漏情况，当油（油水混合物）进入电机，浮子开关将发出报警信号并停泵。③ 热敏元件：安装在电机定子绕阻内，若电机长时间超载，电机绕组温度（或其他原因导致电机绕组发热）达到一定值时，发出报警信号并停泵。

（10）设有专用提手，以便于搬运，绝对禁止搬运时对电缆拉拽（或作为提绳），以致拉松电缆和电机盖的密封，造成电机进水。将电缆压固于提手上后也禁止提拉电缆来搬运排污泵。

（11）液位仪：液位仪（见图 3-6），使用电子或其他技术用于检测液体表面、流量、流速的仪器，适用于多种环境监测，包括地下水监测，双壁“油罐夹层”监测，压力管线测漏和加油机底盘监测等。上述应用是广义上的概念，可细分为许多种设备，狭义上讲液位仪是指用来检测液体表面高度的仪表，有电子仪表，也有机械仪表。

（a）

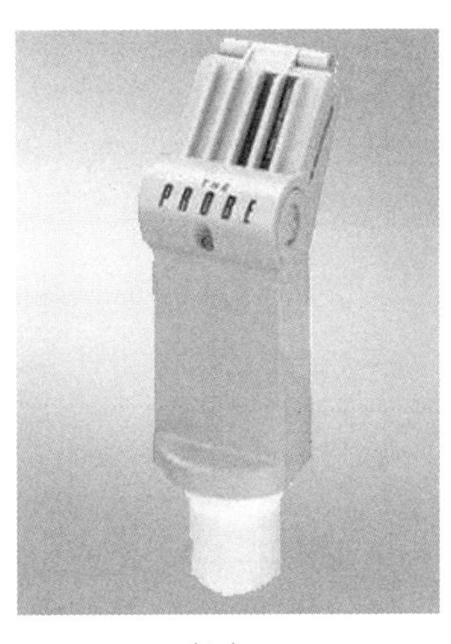

（b）

图 3-6　液位仪

二、地铁废水系统、雨水系统及潜水泵组功能的介绍

（一）废水系统

（1）地下车站废水系统是将车站结构渗漏水、冲洗水、消防废水、出入口自动扶梯下基坑等低洼处的积水分别收集，汇入各自集水坑，经废水泵提升后分别排入城市污水管网。

（2）高架车站废水直接排入城市污水管网。

（3）地下区间结构渗漏水、冲洗水、消防废水等沿线路排水沟汇入设在区间联络通道处的区间废水泵房（主排泵房），经废水泵提升后，沿区间从较近的车站排入室外城市污水管网。废水泵通常设两台泵，根据液位依次启动。当废水泵房设在过河或过湖段区间时，增设一台同等能力的排水泵，并考虑三台泵同时工作的可能。

（4）地下车站废水泵房：设有两台排水泵，先启动第一台，根据液位再启动第二台，一级负荷，由 BAS 进行监控。排水泵设就地自动及手动控制，车站综控室 BAS 远程控制，车站综控室 BAS 紧急启、停。水池液位计采用超声波液位计。

（5）区间废水泵房：设有两台（或三台）排水泵，先启动第一台，根据液位再启动第二台（或第三台），一级负荷，由 BAS 进行监控。排水泵设就地自动及手动控制，车站综控室 BAS 远程控制，车站综控室 BAS 紧急启、停。水池液位计采用超声波液位计。

（二）雨水系统

（1）地下车站敞口风亭、露天洞口及出入口等雨水分别汇入附近集水坑，经废水泵提升后分别排入城市雨水管网。

（2）高架车站屋面雨水经虹吸雨水系统收集后排入城市雨水管网。

（3）地下区间出入洞口处雨水沿线路排水沟及横截沟排入设在洞口附近的雨水泵房，经雨水泵提升后排入室外城市雨水管网。雨水泵通常设三台泵，根据液位依次启动。

（4）地下车站雨水泵房：设有两台排水泵，先启动第一台，根据液位再启动第二台，一级负荷，由 BAS 进行监控。排水泵设就地自动及手动控制。

（5）洞口雨水泵房：设有三台排水泵，先启动第一台，根据液位再启动第二台（或第三台），一级负荷，由 BAS 进行监控。控制柜由动力照明专业设计。排水泵设就地自动及手动控制，车站综控室 BAS 远程控制，车站综控室 BAS 紧急启、停。水池液位计采用超声波液位计。

（6）车站综控室 BAS 远程控制，车站综控室 BAS 紧急启、停。水池液位计采用超声波液位计。

三、潜水泵组的安装方式

WQ/C 系列小型潜水排污泵有自动耦合式安装（Z）、软管移动式安装（R）、硬管移动式安装（Y），无论哪种安装方式都很简便，如图 3-7 所示。

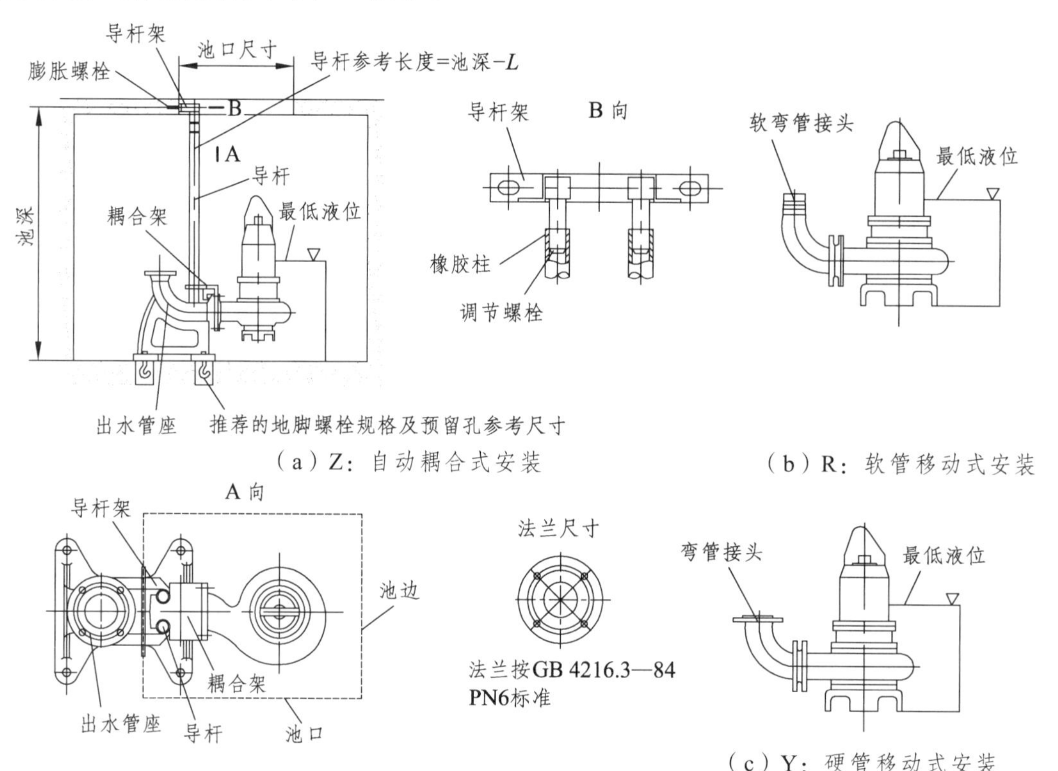

（a）Z：自动耦合式安装　（b）R：软管移动式安装　（c）Y：硬管移动式安装

图 3-7　潜水泵组安装方式图

四、潜水泵组型号、转向、电缆线芯介绍

潜水泵组型号释义见图 3-8。

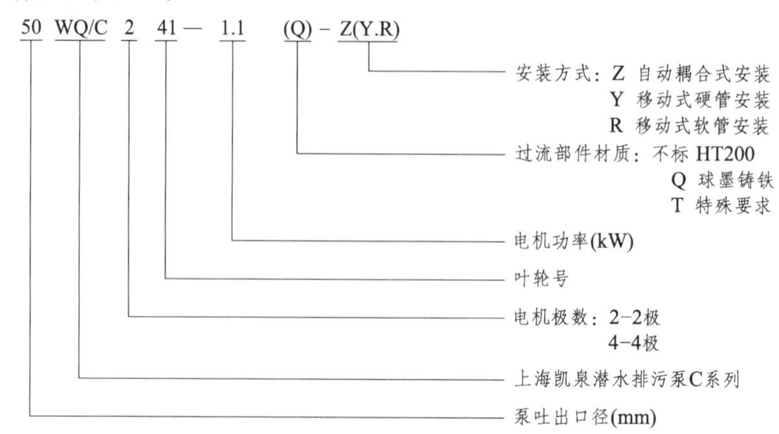

图 3-8　型号释义图

（1）转向：从泵吸入口看，叶轮为逆时针旋转。

（2）电缆线芯：颜色、编号、功能。

① 动力线：浅蓝（U）、黑色（V）、棕色（W）为三相动力线。

② 信号线：紫（12”）——油水探头；粉色（13”）——浮子开关；白（14”）——电机定子。

③ 接地线：黄/绿双色线（11”）。

（3）绕阻热敏元件。

五、潜水泵组的工作原理

水泵开动前，先将泵和进水管灌满水，水泵运转后，在叶轮高速旋转而产生的离心力的作用下，叶轮流道里的水被甩向四周，压入蜗壳，叶轮入口形成真空，水池的水在外界大气压力下沿吸水管被吸入补充了这个空间。继而吸入的水又被叶轮甩出，经蜗壳进入出水管。由此可见，若离心泵叶轮不断旋转，则可连续吸水、压水，水便源源不断地从低处扬到高处或远方，如图 3-9 所示。

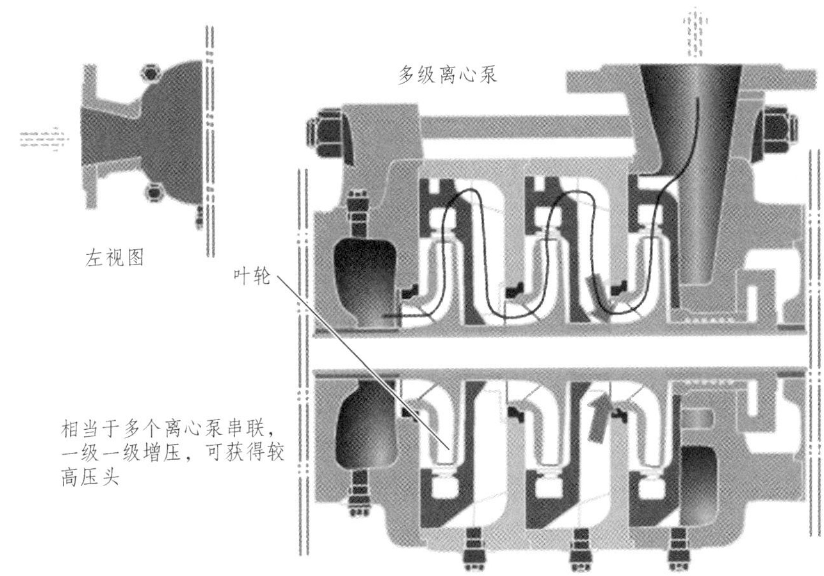

图 3-9　潜水泵工作原理图

一、潜水泵组的操作知识

潜水泵组的操作可分为 BAS 界面远程操作和就地手动操作两种方式。

（一）BAS 界面远程操作潜水泵组

1. 请点

车站请点，同时联系环调申请车站控制授权。

2. 启动前检查

（1）检查管道压力。

（2）检查阀门状态。

（3）检查控制箱内线路情况。

3. 启动或停止

（1）车控室 BAS 控制电脑界面上，双击水泵图标，进入控制界面。
（2）查看设备详情，确认“手动/自动状态”为“自动”。
（3）点击“控制”，执行启动或停止操作，再点击“确认”。

4. 查看设备详情，确认“状态”是否正常启动或停止

5. 启动后现场检查潜水泵运行状态

6. 办理销点手续

（二）就地手动操作潜水泵组

1. 请点

车站请点。

2. 启动前检查

（1）检查管道压力。
（2）检查阀门状态。
（3）检查控制箱内线路情况。

3. 启动或停止

（1）将现场控制箱上的手自动转换开关切换至“手动”位。
（2）启动：按下红色的“1 号泵启动按钮”或“2 号泵启动按钮” 。
（3）停止：按下红色的“1 号泵启动按钮”或“2 号泵启动按钮” 。

4. 确认泵开启

水泵控制箱上的红色“*号泵启动指示”灯亮起。

5. 确认泵停止

水泵控制箱上的绿色“*号泵停止指示”灯亮起。

6. 启动后现场检查潜水泵运行状态

7. 办理销点手续

二、潜水泵的检修

（一）拆卸潜水泵

关闭扬水阀门，切断电源，挂上“禁止合闸，有人工作”标示牌。将潜水泵起吊上来，并移至干燥通风处。

（二）解体

（1）拆开电缆接头，进行绝缘电阻测试。
（2）拆下泵体，旋下不锈钢螺帽。
（3）取下泵座。
（4）取下叶轮及键。
（5）打开放油封口塞放油。
（6）拆开进水节与机械密封。

（三）检查各零部件进行消缺或更换处理

（四）组装

组装顺序正好同拆、检相反，依次进行装配。装配时一定不能挤伤“O”型圈。

三、潜水泵组的维护知识

根据《机电设备维修规程》中潜水泵保养一节规定，潜水泵组的日常维护主要包括每周的巡检、每季和每年的日常保养。

（一）每周巡检有关内容

导轨、泵体是否正常。

（二）每季日常保养有关内容

（1）试机、水泵机组运转声音是否正常。
（2）超声波液位计对液位的检测是否正常，通过设置液位参数起泵试机。
（3）水泵外表清洁、除锈防腐及周围环境的清洁。
（4）三相电流的测量及抄录。
（5）压力表显示是否正常，压力表读数抄录。

（三）每年日常保养有关内容

（1）包含上一级保养。
（2）检查与更换潜水泵内不良元件（轴承、叶轮、泵轴、机封等）。
（3）潜水泵组所有阀门关闭、开启一次，并对阀门螺杆涂油。
（4）检查水泵机组与泵座、耦合装置是否正常，吊链是否完好。
（5）水泵及接线电缆绝缘检测。

四、潜水泵组的故障及处理方法

潜水泵组的常见故障及处理方法如表 3-1 所示。

表 3-1　常见故障及处理方法

故障现象	产生原因	处理方法
潜水泵运转有异常振动、不稳定	水泵底座地脚螺栓未拧紧或松动	均匀拧紧所有地脚螺栓
	出水管路没有加独立的支撑，管道振动影响到水泵上	对水泵的出水管道设独立稳固的支撑，不让水泵的出水管法兰承重
	叶轮质量不平衡甚至损坏或安装松动	修理或更换叶轮
	水泵上下轴承损坏	更换水泵的上下轴承
潜水泵不出水或流量不足	水泵安装高度过高，使得叶轮浸没深度不够，导致水泵出水量下降	控制水泵安装标高的允许偏差，不可随意扩大
	水泵转向相反	水泵试运转前先空转电动机，核对转向使之与水泵一致。使用过程中出现上述情况应检查电源相序是否改变
	出水阀门不能打开	检查阀门，并经常对阀门进行维护
	出水管路不畅通或叶轮被堵塞	清理管路及叶轮的堵塞物，经常打捞蓄水池内杂物

续表

故障现象	产生原因	处理方法
潜水泵不出水或流量不足	水泵下端耐磨圈磨损严重或被杂物堵塞	清理杂物或更换耐磨圈
	抽送液体密度过大或黏度过高	寻找水质变化的原因并加以治理
	叶轮脱落或损坏	加固或更换叶轮
	多台水泵共用管路输出时，没有安装单向阀门或单向阀门密封不严	检查原因后加装或更换单向阀门
电流过大电机过载或超温保护动作	工作电压中过低或过高	检查电源电压，调整输电压
	水泵内部有动静部件擦碰或叶轮与密封圈磨擦	判断磨擦部件位置，消除故障
	扬程低、流量大造成电动机功率与水泵特性不符	调整阀门降低流量，使电动机功率与水泵相匹配
	抽送的密度较大或黏度较高	检查水质变化原因，改变水泵的工作条件
	轴承损坏	更换电机两端的轴承
绝缘电阻偏低	电源线安装时端头浸没在水中或电源线、信号线破损导致进水	更换电缆线或信号线，烘干电机
	机械密封磨损或没安装到位	更换上下机械密封，烘干电机
	O型圈老化，或失去作用	更换所有密封圈，烘干电机
启动时电机不转且有嗡嗡声	轴承咬合抱轴	检修轴承
	电机单相运转	检查电源、电缆线，找出断相
水泵管路中，管道或法兰连接处，经常有明显的渗漏水现象	管道本身有缺陷，未经过压力试验	有缺陷的管子应予以修复甚至更换，对于接管子的中心偏离过大的应拆掉重排，对准后连接螺栓应在基本自由的状态下插入拧紧，管路全部安装完后，应进行系统的耐压强度和渗漏试验，有渗漏水现象则必须更换新的
	法兰连接处的垫片接头未处理好	
	法兰螺栓未用合理的方式拧紧	
潜水泵长时间启动，同时出现高水位报警	隧道渗水量大	联系、协调相关专业对渗漏点进行封堵
	止回阀关闭不到位或无法关闭，出现循环水的现象	打开止回阀面板，清除阀体内的杂物，消除卡死现象
泵启动和停止太频繁或长时间运行	止回阀故障	检查止回阀，并进行维修

任务评价

根据以上学习内容，评价自己对本任务内容的掌握程度，在下表相应空格里打"√"。

评价内容	差	合格	良好	优秀
对潜水泵组系统结构、操作流程等的掌握程度				
对潜水泵组维护、故障处理作业流程的掌握程度				
学习中存在的问题或感悟				

任务二　潜水泵组的故障案例

一、故障概况

（1）设备名称或型号：潜水泵超声波液位仪。
（2）故障类型或现象：运营时间，综合界面显示超高报警。
（3）故障影响程度与等级：运营时间不及时维修导致水泵电机过热烧电机。

二、故障处理经过简介

（一）信息获得

某日某时，海晏北路车站行车值班员发现海晏北路 A 端环控机房潜水泵组超高水位报警，报于 2 调，2 调通知给排水一工班到现场查看情况。维修人员到达现场查看情况，但是集水坑水位并没有达到超高水位的高度，同时超声波液位仪水位数字拨动幅度很大，如图 3-10 所示。

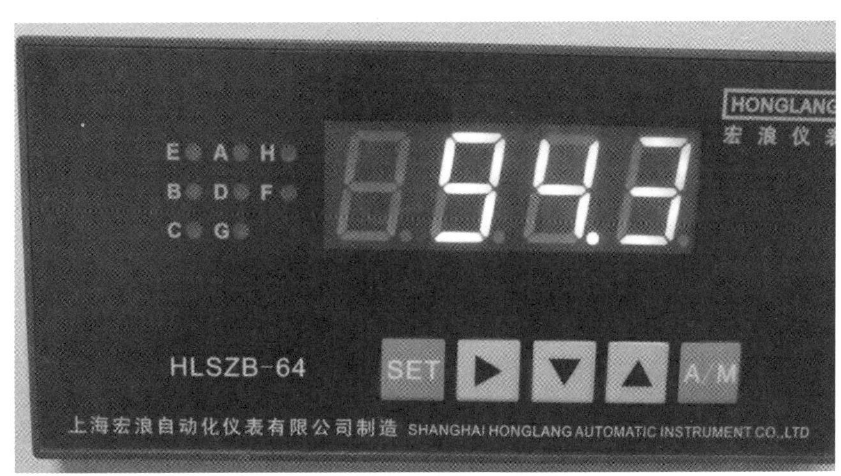

图 3-10　液位仪故障图

（二）先期故障判断及准备内容

（1）接 2 调电话报海晏北路 A 端环控机房潜水泵组超高水位报警。
（2）到海晏北路车控室请 C2 点进行故障排查施工作业。
（3）到现场查看情况，集水坑水位并未到超高水位的高度，与车站沟通把水泵开关打到手动位置，进行检查排故。

（三）故障现象确认及初步诊断

由于环境潮湿，拆开液位仪发现液位仪内部有水渍，导致液位仪主板潮湿，数字显示不准确。

（四）故障实际查找过程及确认

拆开液位仪发现液位仪主板潮湿，判断液位仪主板受潮损坏，所以在液位仪显示面板上数字跳动幅度比较大，产生了超高水位报警。

（五）故障排除方法及结果

向车站反映情况，需要更换配件修复，汇报大致修复时间，使设备正常运行，确保设备正常排水，不影响运营及影响行车。

（1）更换液位仪，设置好液位参数，加固密封。
（2）更换完成，进行设备液位监控试车，调试，确保自动水泵会启动。
（3）在现场与车控制综合界面上进行模拟水位报警，确保正常。
（4）设备恢复后清理现场，向车站销点汇报情况给予环调，做好检修台账工作日志记录。

三、原因分析

现场环境比较潮湿，由于潮湿导致液位仪内部潮湿。

四、案例处理优化分析

（一）案例处理的优化解决方案

此次故障处置，工作人员现场处置较为稳妥。

（二）故障正确处理的方式方法及关键步骤

（1）工班长立即赶赴现场进行指挥，做好现场安全防护及安全监督。
（2）检修设备结束，做好“3 清”“3 不离”。
（3）巡检员加强车站巡视，耐心做好巡检工作，发现问题及时报告进行现场处理。

五、专家提示

（1）对于这种突发故障提前做好判断，确保配件充足，尤其是台风或暴雨天气。
（2）各岗位之间加强联系，随时进行工作交流和技能交流工作。

六、预防措施

密切监视设备运行情况，做好信息反馈工作。

七、思考题

（1）简述如何对液位仪防潮进行密封，使设备使用寿命延长。
（2）简述施工作业的流程及结束之后需要做的工作。

模块训练

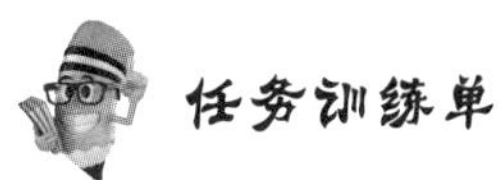

班级：　　　　　　　　姓名：　　　　　　　　训练时间：

任务训练单	潜水泵组相关作业
任务目标	掌握潜水泵组的系统结构、工作原理及操作流程，能进行潜水泵组的日常维护保养作业，并能够进行潜水泵组的故障处理
任务训练	潜水泵组的 BAS 远程操作、潜水泵组的就地手动操作、潜水泵组的检修等
任务训练一 （说明：总结作业流程，并在实训室进行实操训练或上机在模拟软件上完成实操训练）	
任务训练二 （说明：总结作业流程，并在实训室进行实操训练或上机在模拟软件上完成实操训练）	
任务训练的其他说明或建议：	
指导老师评语：	
任务完成人签字：　　　　　　日期：　　年　　月　　日 指导老师签字：　　　　　　日期：　　年　　月　　日	

模块小结

本模块讲述了潜水泵组的构成及工作原理、地铁排水系统和潜水泵组的介绍、潜水泵组的操作流程等。要掌握这些作业，首先要掌握潜水泵组的结构、功能、工作原理等。潜水泵组由水泵控制柜、叶轮、机械密封、轴承等构成。潜水泵组是车站雨水系统及废水系统中最重要组成部分之一。

同时，本模块介绍了潜水泵组的日常维护和常见故障处理，包括潜水泵组的每周巡检、季保养及年保养。此外，潜水泵组的常见故障包括水泵不吸水，机械密封泄露，手动、自动都无法启动某台水泵，水泵启动频繁等。模块中对于典型故障给出了相关的处理案例。

模块自测

一、填空题

1. 潜水泵组主要由水泵控制箱、(　　　　)、(　　　　)和(　　　　)组成。

2. 根据《机电设备维修规程》中潜水泵保养规定，潜水泵组的日常维护主要包括(　　　　)、(　　　　)、(　　　　)和(　　　　)。

3. 如果潜水泵组长时间启动，同时出现高水位报警的情况，则主要原因是(　　　　)、和(　　　　)；我们应该通过(　　　　)、(　　　　)来解决故障。

二、简答题

1. 潜水泵组在地铁车站扮演着什么样的角色？
2. 简述潜水泵组的组成。
3. 简述潜水泵组的检修流程。
4. 简述潜水泵组的常见故障及故障处理方法。(至少三条)
5. 简述潜水泵组的年保养内容。
6. 请您根据本模块所学的知识，实操完成潜水泵组的BAS界面远程操作和就地手动操作。

模块四　给水泵组操作与故障应急处理

案例导学

小明在某地铁公司车辆段上班，今天他值日。他早上早早地来到公司后，用开水壶在洗手盆处接了一壶水烧开，扫完地后又拿着拖把在拖把池清洗拖把，准备拖地。

那么，在这个案例中，给水泵组主要起到了什么作用呢？如果给水泵组出故障了，我们的生活又会受到什么影响呢？下面我们通过本模块的学习对这些问题进行解答。

学习目标

（1）掌握给水泵组的结构、功能等。

（2）掌握给水泵组启动前应检查的相关阀门、仪表状态等注意事项。

（3）掌握给水泵组就地启泵方式。

（4）掌握给水泵组周巡检、月巡检、季保养、年保养的检修保养规程及检修内容。

（5）掌握给水泵组检修保养记录单的填写要求。

（6）了解给水泵组漏水、不上量、震动大等故障的原因及处理办法。

（7）了解给水泵解体检查的流程及故障处理的要求。

（8）掌握故障处理记录的要求。

技能目标

（1）能够在启泵前对给水泵组相关阀门、仪表进行确认。

（2）能够在给水泵发生误启泵时，及时对给水泵进行停泵操作。

（3）能按给水泵检修保养规程及检修内容对消防泵进行保养，并正确填写保养记录单。

（4）能够分析给水泵组漏水、不上量、震动大等故障的原因及具备协助处理相关故障能力。

（5）能对给水泵进行解体检查，对故障作出准确判断，并协助处理故障。

（6）能够正确填写故障处理记录。

任务一　给水泵组操作

相关知识

给水泵组是车辆段及停车场给水系统中的主要升压设备，一般采用一套变频恒速供水设备和不锈钢水箱，满足三层以上生活、生产用水点的正常供水。给水泵的构成如图 4-1 ~ 图 4-3 所示。

图 4-1　给水泵房一

图 4-2　给水泵房二

图 4-3　远传压力表

一、给水泵组的设备构成

（1）给水泵控制箱：通过给水泵控制箱完成水泵的变频恒速供水，以及给水泵组的就地手自动操作，如图 4-4 ~ 图 4-6 所示。

图 4-4　给水泵控制箱图

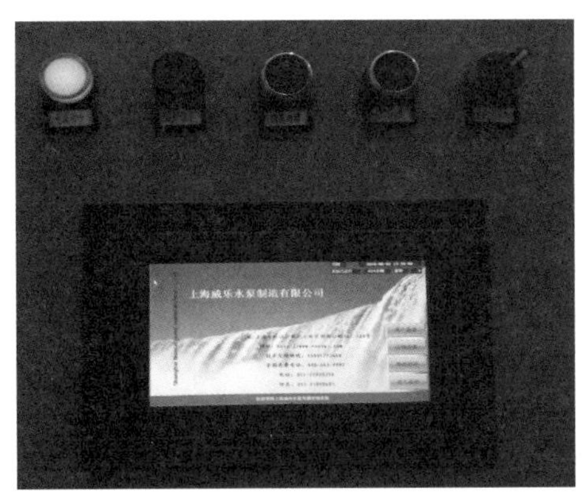

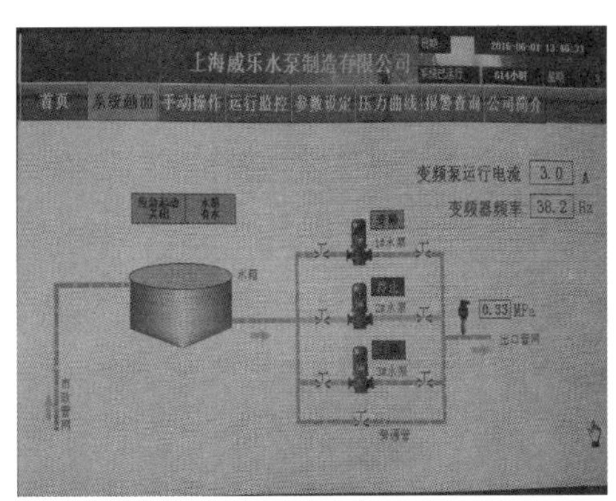

图 4-5　给水泵控制箱触摸屏一

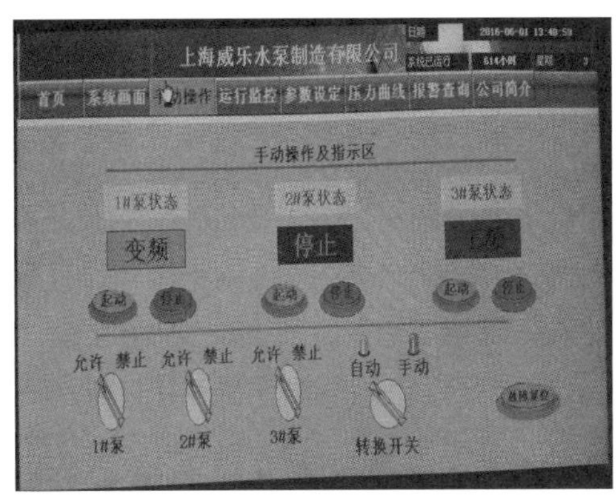

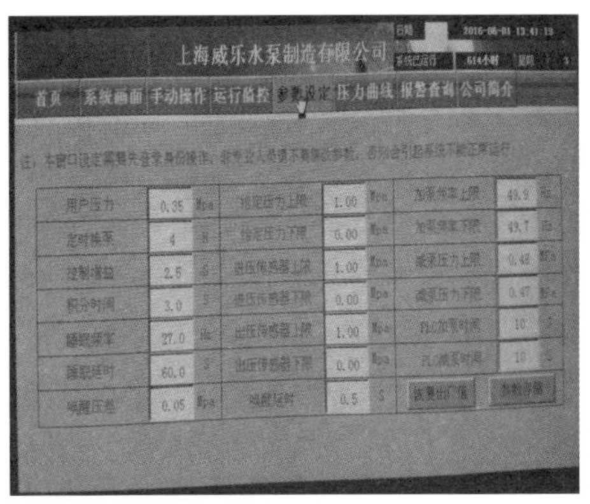

图 4-6　给水泵控制箱触摸屏二

（2）给水主泵（见图 4-7）：生活给水主泵主要用于生活给水系统管道增压送水。

（3）给水稳压泵：稳压泵配合主泵，稳高压，须按主、备泵设置稳压泵。

（4）隔膜罐：VAREM 压力罐用于闭式水循环系统中，起到平衡水量及压力的作用，避免安全阀频繁开启和自动水阀频繁补水。膨胀罐除起到容纳膨胀水的作用外，还能起到补水箱的作用，膨胀罐充入氮气，能够获得较大容积来容纳膨胀水量，高、低压膨胀罐可利用自身压力并联向稳压系统补水。本装置各点控制均为联锁反应，自动运行，压力波动范围小，安全可靠，节能，经济效果好。

图 4-7　给水主泵

图 4-8　隔膜罐图

二、生活给水系统及给水泵组的介绍

车辆段及停车场给水水源采用城市自来水。分别从车辆段及停车场外 *DN*400 给水管上开口引接一路 *DN*150 的给水管引进水源，供给车辆段及停车场内的生产、生活用水。地下一层设置一套变频调速供水设备和不锈钢生活水箱，满足三层以上各生产、生活用水点的正常供水。

三、给水泵组的工作原理

水泵是给水系统中的主要升压设备。在建筑内部的给水系统中，一般采用离心式水泵，它具有结构简单、管理方便、体积小、效率高且流量和扬程在一定范围内可以调整等优点。

离心泵的工作原理是靠叶轮在泵壳内旋转，使水靠离心力甩出，从而得到压力，将水送到需要的地方。

车辆段一般采用变频调速供水设备，目前调速装置主要采用变频调速器，根据相似定律的流量、扬程和功率分别与其 1 次方、2 次方和 3 次方成正比，所以调节水泵的转速可改变水泵的流量、扬程和功率，使水泵变量供水时，保持高效运行。其工作原理是：在水泵出水口或管网末端安装压力传感器，将测定的压力值 H 转换为电信号输入压力控制器，与控制器内根据用户需要设定的压力值 $H1$ 比较，当 H 大于 $H1$ 时，控制器向调速器输入降低转速的控制信号，使水泵降低转速，出水量减少；当 H 小于 $H1$ 时，则向调速器输入降低转速的控制信号，使水泵转速提高，出水量增加。

一、给水泵组的操作知识

给水泵组操作常规就地现场控制柜自动操作及手动操作。

（一）就地自动操作

1. 请点

车场调度请点。

2. 启动前检查

（1）检查管道压力。

（2）检查阀门状态。

（3）检查控制箱内线路情况。

3. 确认现场控制柜上“手自动”转换开关在“自动”位

4. 设定好生活水出口总管的恒定压力值，点击确定

5. 启动后能现场检查给水泵运行状态

6. 办理销点手续

（二）就地手动操作

1. 请点

车场调度请点。

2. 启动前检查

（1）检查管道压力。

（2）检查阀门状态。

（3）检查控制箱内线路情况。

3. 启动

（1）现场控制柜上先将“手自动”转换开关切换到“手动”位。

（2）然后按下面板上的“启动”按钮。

4. 停止

（1）现场控制柜上先将“手自动”转换开关切换到“手动”位。

（2）然后按下面板上的“停止”按钮。

5. 确认泵开启

控制柜上的“运行”指示灯亮起。

6. 确认泵停止

控制柜上的“运行”指示灯熄灭。

7. 启动后能现场检查给水泵运行状态

8. 办理销点手续

二、给水泵组的维护知识

根据《机电设备维修规程》中给水泵保养一节的规定，给水泵组的日常维护主要包括日巡检、月巡检、季保养和年保养。

（一）日巡检有关内容

（1）压力表显示是否正常。

（2）各管阀及机泵是否漏水。

（3）水泵运行情况，噪声、振动、温度等。

（4）控制箱检查（参照水泵控制箱）。

（5）周围环境、设备房的清洁，离开时确认泵房门、窗已关好。

（二）月巡检有关内容

水池水质情况（无异味，目测清洁干净）。

（三）季保养有关内容

（1）水泵加油（脂）。

（2）压力传感器的检查确认。

（3）稳压罐的检查、设定。

（4）水泵控制箱保养（参照水泵控制箱）。

（四）年保养有关内容

（1）包含上一级保养。

（2）机组参数的校对设定。

（3）变频器及 PLC 的检查。

（4）水箱清洗。

（5）水泵控制箱保养（参照水泵控制箱）。

三、给水水泵组的故障及处理方法

表 4-1　常见故障处理方法

故　　障	原　　因	解决方法
水泵不吸水，压力表指针剧烈摆动	灌水不够，管路与仪表连接处漏气	重新放气灌水，拧紧或检修漏气处
水泵不吸水，真空表表示高度真空	吸水管阻力太大，吸水高度过高	检修水管，并降低吸水高度
压力表有压力，但仍不出水	旋转方向不对，叶轮堵塞，泵转速不足	检查电机，清除叶轮内的污物，增加泵转速
流量低于设计要求	水泵堵塞，密封环磨损过多	清理水泵及管路，更换密封环
机械密封泄漏	摩擦副磨损严重或密封面划伤	更换机械密封，重新研磨密封面
水泵过热，轴承过热	电机与泵不同心，轴承缺油或磨损	调整电机与泵轴的同轴度，加油或更换轴承
手动、自动均无法启动某台水泵	热继电器或空开跳，中间继电器故障	检查热继电器是否有故障，空开是否能合上，相应中间继电器是否正常
水泵启动频繁	稳压罐内气体减少	重新充气
水位显示不正常，与水池实际水位不同	KEY 浮动开关接法不对	调整浮动开关的接法
启动运行中交流接触器火花大	动力电源线容量小或者动力电源容量不够	更换动力电源线或加大动力电源容量
	电机对地漏电率大	烘干电机

任务评价

根据以上学习内容，评价自己对本任务内容的掌握程度，在下表相应空格里打“√”。

评价内容	差	合格	良好	优秀
对给水泵组系统结构、工作原理、启泵流程等的掌握程度				
对给水泵组维护故障处理作业流程的掌握程度				
学习中存在的问题或感悟				

任务二　给水泵组的故障案例

一、故障概况

（1）设备名称或型号：变频器。

（2）故障类型或现象：泵无法启动。

（3）故障影响程度与等级：无法正常供水，导致厕所、食堂断水。

二、故障处理经过简介

（一）信息获得

小王巡检发现给水所水泵电柜控制面板上指示灯变频灯亮了 3 盏，如图 4-9 所示，一般正常工作时，变频器控制正常时只亮变频灯，有 5 个水泵和 1 个稳压泵，它们是循环被变频器控制的，这是什么原因造成的？变频器是否出了问题？故障代码显示的故障如表 4-2 所示。

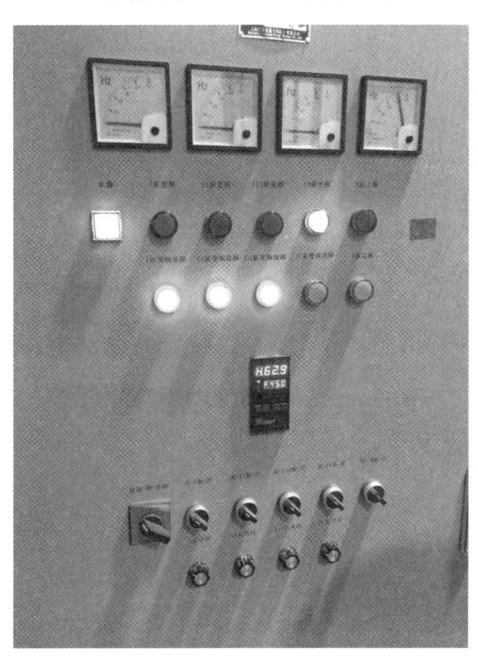

图 4-9　变频器故障图

表 4-2　故障代码显示的故障

保护结果及保护指示	保护类型	保护原因
立即停机，0	短路保护	线路短路
停机，1	过流保护	$I > 160\% I_0$
停机，2	缺相保护	输出缺相
停机，3	输入过压保护	$V_{in} > 120\% V_0$
停机，4	输入欠压保护	$V_{in} < 80\% V_0$
停机，5	温升过高保护	$T > 75$ °C
停机，6	外部异常停机	外部系统有异常
停机，数码全灭，只有小数点亮	干扰保护	电磁干扰太强
不停机	限速保护，自动调整上升或下降的速度	$I > 120\% I_0$

（二）先期故障判断及准备内容

（1）某日，上午 9 点小王巡检发现给水所的给水泵变频器出现故障，并拍照通知工长和技术员反映故障状态。

（2）技术员接到小王的通知后立即作出判断，并对此类故障展开讨论。
（3）技术员带上万用表工具包赶赴现场。

（三）故障现象确认及初步诊断

给水泵变频故障导致前三台泵无法自动启动，造成生活用水没法正常供应，查到变频故障代码，找出原因。变频器短路保护一般是从主回路的正负母线上分流取样，用电流传感器经主板的检测传至主控芯片进行保护，因此这些环节上任何一处出现问题，都可以造成故障停机。

（四）故障实际查找过程及确认

经小王和技术员排查分析，故障是由变频短路保护引起的。

（五）故障排除方法及结果

（1）小王 DCC 请点，和食堂也打好招呼，说停水一会儿，故障处理好就恢复正常。
（2）向内部干扰造成的此类问题，此时变频并无太大问题，只是不间断、无规律地出现短路保护。对于干扰的问题，主要是电流传感器的控制线走线不合理，可将改线单独走线，远离强电压、大电流、电源线，采用屏蔽线，以增加干扰能力，避免出现误保护。后来恢复后，复位重启电源，水泵恢复正常。
（3）DCC 消点。设备恢复正常。

三、原因分析

（1）故障产生的直接原因主要是电流传感器的控制线走线不合理。
（2）故障直接原因产生因素分析：强电压，大电流，电源线，应采用屏蔽线，以增加干扰能力。

四、案例处理优化分析

（一）案例处理的优化解决方案

此次故障处置，工作人员现场处置较为稳妥。

（二）故障正确处理的方式、方法及关键步骤

（1）工班长立即赶赴现场进行指挥，做好现场安全防护以及安全监督。
（2）检修设备结束，做好“3 清”“3 不离”。
（3）巡检员加强车站巡视，耐心做好巡检工作，发现问题及时报告进行现场处理。

五、专家提示

（1）检修人员熟悉给水泵组电控柜线路状况。
（2）加强设备巡检及定期工作执行力度。

六、预防措施

（1）针对该起故障加强人员技术培训及宣传教育，了解各个故障代码所对应的故障。
（2）重点监视给水泵组运行情况，加强设备巡检及定期工作执行力度。

七、思考题

（1）简述给水泵的故障代码对应的故障。
（2）简述进行施工作业的流程及结束之后需要做的工作。

模块训练

任务训练单

班级：　　　　　　　　　　　姓名：　　　　　　　　　　　训练时间：

<table>
<tr><th>任务训练单</th><th>给水泵组相关作业</th></tr>
<tr><td>任务目标</td><td>掌握给水泵组的系统结构、工作原理及操作流程，能进行给水泵组的日常维护保养作业，并能够进行给水泵组的故障处理</td></tr>
<tr><td>任务训练</td><td>请从下列任务中选择其中的两个进行训练：给水泵组的就地自动操作、给水泵组的就地手动操作、给水泵组的保养等</td></tr>
<tr><td colspan="2">任务训练一
（说明：总结作业流程，并在实训室进行实操训练或上机在模拟软件上完成实操训练）</td></tr>
<tr><td colspan="2">任务训练二
（说明：总结作业流程，并在实训室进行实操训练或上机在模拟软件上完成实操训练）</td></tr>
<tr><td colspan="2">任务训练的其他说明或建议：</td></tr>
<tr><td colspan="2">指导老师评语：</td></tr>
<tr><td colspan="2">任务完成人签字：　　　　　　　　　　日期：　　年　　月　　日
指导老师签字：　　　　　　　　　　　日期：　　年　　月　　日</td></tr>
</table>

模块小结

本模块讲述了给水泵组的构成及工作原理、地铁给水系统和给水泵组的介绍、给水泵组的操作流程等。要掌握这些作业，首先要掌握给水泵组的结构、功能、工作原理等。给水泵组由水泵控制柜、给水主泵、给水稳压泵、隔膜罐等构成。给水泵组是车辆段及停车场生活给水系统中最重要的组成部分之一。

同时，本模块介绍了给水泵组的日常维护和常见故障处理，包括给水泵组的日巡检、月巡检、季保养及年保养。此外，给水泵组的常见故障包括水泵不吸水，机械密封泄漏，手动、自动都无法启动某台水泵，水泵启动频繁等。模块中对于典型故障给出了相关的处理案例。

模块自测

一、填空题

1. 给水泵组主要由水泵控制箱、（　　　　）、（　　　　）和（　　　　）组成。

2. 根据《机电设备维修规程》中给水泵保养规定，潜水泵组的日常维护主要包括（　　　　）、（　　　　）、（　　　　）和（　　　　）。

3. 如果给水泵组手动、自动皆无法启动，主要原因是（　　　　）；我们应该通过（　　　　）来解决故障。

二、简答题

1. 简述给水泵组中隔膜罐的主要作用。
2. 简述给水泵组的组成。
3. 简述变频恒速给水设备的工作原理。
4. 简述给水泵组的常见故障及故障处理方法。（至少三条）
5. 简述给水泵组的季保养内容。
6. 请您根据本模块所学的知识，实操完成给水泵组的就地自动操作和就地手动操作。

模块五　密闭提升装置操作与故障应急处理

案例导学

小明到地铁站乘坐地铁，肚子突然感到不适，于是找到地铁的卫生间，解决了肚子不适后，小明不禁想到，在地下是用什么样的设备把污水排除到地面上的呢？经车站人员解答才知道，原来是一种被称为密闭提升装置的设备起到了这个作用。

那么，密闭提升装置到底可以完成哪些工作呢？如果密闭提升装置出故障了怎么办呢？以上的问题可以通过学习本模块得到解决。

学习目标

（1）掌握密闭提升装置的结构、功能等。
（2）掌握密闭提升装置启动前应检查的相关阀门、仪表状态等注意事项。
（3）掌握密闭提升装置远程、就地启泵方式。
（4）掌握密闭提升装置周巡检、季保养、年保养的检修保养规程及检修内容。
（5）掌握密闭提升装置检修保养记录单的填写要求。
（6）掌握密闭提升装置漏水、不上量、震动大等故障的原因及具备协助处理相关故障的能力。
（7）了解密闭提升装置解体检查的流程及故障处理的要求。
（8）掌握故障处理记录的要求。

技能目标

（1）能够在启泵前对密闭提升装置相关阀门、仪表进行确认。
（2）能够在密闭提升装置发生误启泵时，及时对给水泵进行停泵操作。
（3）能按密闭提升装置检修保养规程及检修内容对消防泵进行保养，并正确填写保养记录单。
（4）能够分析密闭提升装置漏水、不上量、震动大等故障的原因及具备协助处理相关故障的能力。
（5）能对密闭提升装置进行解体检查队故障作出准确判断，并协助处理故障的流程及故障处理记录的要求更换消防泵的阀门。
（6）能够正确填写故障处理记录。

任务一　密闭提升装置操作

污水提升装置是将排污泵和集水箱、控制装置，以及相关的管件阀门组成一套系统，用于提升和

输送低于下水道或远离市政管网的废污水，可以有效地解决或避免传统集水坑存在的问题。

污水密闭提升装置主要由集（污）水箱、提升泵、辅助排污泵、控制柜及相应的过滤器、管道、阀门等组成。

控制柜编程控制，全自动运行，无须人员值守，提升泵 1、2 互为备用、轮值运行。当设备出现故障，报警系统将自动启动，报警指示灯闪烁，并发声报警，提醒值班人员。另外，控制柜上还有手动操作系统，可在现场手动应急启停水泵。

作为可选项，手动隔膜泵用于在泵发生故障的情况下将收集槽排空。为了便于对隔膜泵进行维修，最好在收集槽的口上安装一个 38.1 mm 的隔离阀。密闭提升装置的操作如图 5-1 ~ 图 5-4 所示。

图 5-1　污水泵房

图 5-2　密闭提升泵

图 5-3　污水泵控制箱

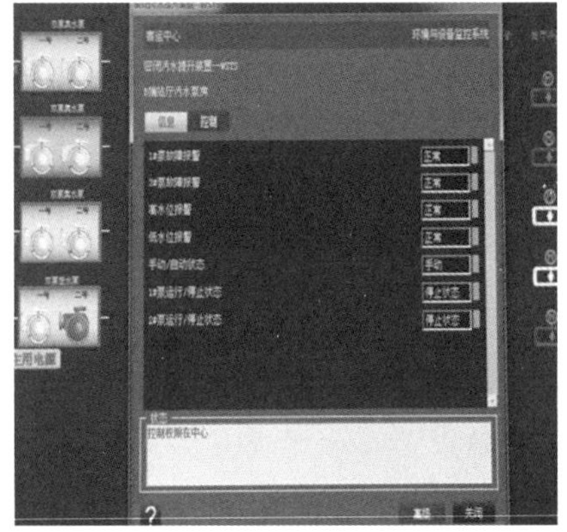

图 5-4　BAS 操作界面

密闭提升装置操作分为就地现场控制柜自动操作及手动操作。

一、就地自动操作

（1）车站请点。

（2）启动前检查：管道压力、阀门、控制箱内线路情况。

（3）确认现场控制柜上“手自动”转换开关在“自动”位。

（4）设定好液位计控制液位。

（5）启动后能现场检查污水泵运行状态。

（6）办理销点手续。

二、就地手动操作

（1）车站请点。

（2）在现场控制箱上的手自动转换开关转至“手动”位。
（3）启动前检查：管道压力、阀门、控制箱内线路情况。
（4）启动：按下红色的“1号泵启动按钮”或“2号泵启动按钮”。
（5）停止：按下“1号泵启动按钮”或“2号泵启动按钮”。
（6）确认泵开启：水泵控制箱上“*号泵启动指示”灯亮起。
（7）确认泵停止：水泵控制箱上“*号泵停止指示”灯亮起。
（8）启动后能现场检查污水泵运行状态。
（9）办理销点手续。

密闭提升装置的日常维护主要包括周巡检、季保养和年保养。

一、周巡检

（1）检查控制箱箱体和箱门是否变形，箱门是否关好。
（2）各转换开关位置是否正确（手自动转换开关打在自动位）。
（3）污水泵房集水池内漂浮物打捞。
（4）检查液位控制浮球是否被缠绕或卡死（污水泵房）。
（5）各管阀及机泵是否漏水。
（6）如实做好巡检记录，留意以前的记录是否完整无误。
（7）箱门锁正常，箱体清洁。
（8）水泵周围环境、设备房的清洁，离开时确认泵房门、窗已关好。

二、季保养

（1）箱体内外清洁。
（2）试验漏电保护器是否有效。
（3）检查箱内元器件是否有发热痕迹，是否有异响。
（4）检查是否有断路器跳闸，如有，则在具备试合条件后，试合闸一次，试合不成功则报故障维修。
（5）检查柜内PLC控制器、软启动器、变频器是否正常运行（如有）。
（6）检查指示灯、开关、按钮、电缆（导线）等元器件标识是否齐全完好，修补完善标识。
（7）检查箱体及元器件是否破损、安装松动，安装紧固；线路绑扎、整理。
（8）检查转换开关转动是否灵活可靠。
（9）主、控回路接线紧固，各接线端子有无发热、破损等。
（10）检查断路器整定值设置是否正确。
（11）电机接线端子的紧固。
（12）试机、水泵机组运转声音是否正常。

三、年保养

（1）包含上一级保养。
（2）潜水泵组所有阀门关闭、开启一次，并对阀门螺杆涂油。

（3）手摇隔膜泵操作 5 分钟。
（4）密闭提升箱清洗、地脚螺栓的检查紧固。
（5）控制箱箱体补漆。
（6）检查所有螺丝螺母的锈蚀程度是否影响使用，若影响必须进行更换或防腐。
（7）检查与更换潜水泵内不良元件（轴承、叶轮、泵轴、机封等）。
（8）水泵及接线电缆绝缘检测。
（9）能否实现设计控制功能。

四、密闭提升装置的常见故障及处理方法

参考潜水泵组。

五、密闭提升装置检修项目及检修标准（见表 5-1）

表 5-1　密闭提升装置检修项目及检修标准

序号	检修项目	检修标准
1	检查所有螺丝、螺母的锈蚀程度是否影响使用，若影响则必须进行更换或进行防腐	所有螺丝、螺母紧固，无锈蚀
2	GM 型隔膜泵泵体及管路清洁，测定工作电流是否正常，水泵运转是否正常	泵体及管路干净整洁，工作电流在 0.12A 正负 10%范围内，水泵运转无噪声，出水正常
3	离心泵泵体清洁，测定工作电流是否正常，运转是否正常	泵体干净整洁，工作电流在 2.7A 正负 10%范围内，水泵运转无噪声，出水正常
4	一体化气浮设备清洁，正负 10%范围内；冲洗刮渣机工作是否正常，刮渣机轴承润滑；校正在线 pH 仪	设备表面干净整洁，工作电流在 6A 正负 10%范围内，冲洗刮渣机工作正常，轴承润滑良好；pH 仪在线显示准确
5	超滤系统检查泵的温度，有无泄漏，检查一次自动切换阀，利用盐酸、次氯酸钠进行在线化学清洗检查泵	泵体无异常高温，无漏水；自动切换阀正常，检查泵干净整洁，功能良好
6	立式搅拌机保持设备整洁，测定工作电流是否正常，工作是否正常，有无异响	泵体干净整洁，工作电流在 2.2A 正负 10%范围内，运转正常，无异响
7	保持风机内清洁，测定工作电流是否正常，风机是否正常，压力是否在正常范围内，风机轴承上润滑脂，检查润滑油液位	风机外壳干净整洁，工作电流在 4.5A 正负 10%范围内，工作正常，压力读数在 49 kPa 正负 10%范围内；润滑良好，润滑油液位在 1/3 到 2/3 之间
8	二氧化氯发生器表面清洁维护，进行一次水射器、单向阀和球阀的清洗	设备外表、水射器、单向阀和球阀干净整洁，无杂物
9	一体化生化设备清洁、除锈油漆	设备外表干净整洁，无杂物、无锈蚀，油漆无剥落
10	超声波液位计表面清洁、校正	设备外表干净整洁，无杂物，液位检测准确
11	检查高压变频排水设备中泵和管道是否漏水，测定工作电流是否正常，对水泵轴承进行润滑	管道阀门无漏水，工作电流在 11A 正负 10%范围内，轴承润滑良好
12	控制箱箱体、箱门是否完好，箱体内、外清洁	箱体、箱门完好，整洁干净，无杂物
13	检查指示灯、开关、按钮、电缆（导线）等元器件指示是否正确，标识是否齐全完好	所有指示正确，标识齐全完好
14	检查转换开关手自动位置是否正确，转动是否灵活可靠	转换开关打在自动位置，转动灵活可靠
15	检查箱体及元器件是否破损、安装松动；线路绑扎、整理	箱体及元器件无破损、安装紧固，线路整齐

续表

序号	检修项目	检修标准
16	检查箱内元器件及电气线路无发热、烧焦、裸露线头及异味等	无发热、烧焦、裸露线头及异味等
17	主、控回路接线紧固，各接线端子、液位计接线紧固	各接线均紧固
18	检查是否有断路器跳闸，如有，则在具备试合条件后，试合闸一次，试合不成功则报故障维修	断路器正常
19	检查断路器整定值设置是否正确	断路器整定值设置正确
20	关闭、开启阀门一次，对不灵活的阀门加油或更换，检查所有阀门密封情况，视情况更换阀门密封填料	阀体、螺丝、转动件无生锈、卡死，转动灵活，润滑、密封良好
21	各水泵叶轮、机封、轴承的检查，发现损坏则更换	叶轮、机封、轴承等部件良好无损坏
22	污水设施建筑门窗、玻璃清洁，地面打扫清洁	设备房内外干净整洁，无杂物

任务评价

根据以上学习内容，评价自己对本任务内容的掌握程度，在下表相应空格里打“√”。

评价内容	差	合格	良好	优秀
对密闭提升装置结构、功能、工作原理等的掌握程度				
对密闭提升装置操作流程的掌握程度				
对密闭提升装置保养、维护流程的掌握程度				
学习中存在的问题或感悟				

任务二　密闭提升装置故障案例

一、故障概况

（1）设备名称或型号：密闭提升装置。

（2）故障类型或现象：污水已溢出密闭提升箱，提升装置未将污水排出站外。

（3）故障影响程度与等级：如密闭提升装置产生故障，将导致站内污水无法排出站外，严重时导致厕所无法使用，影响客运服务。

二、故障处理经过简介

（一）信息获得

某日，给排水人员巡检至城隍庙污水泵房时，发现污水已溢出提升箱，控制箱在自动位，且电源正常。

（二）先期故障判断及准备内容

密闭提升箱内的电击棒损坏或被异物遮挡，导流管被异物堵塞，出水管路异常、控制箱异常。

（三）故障现象确认及初步诊断

（1）给排水人员到达污水泵房，手动不能成功启泵。

（2）在车控室请点，并向调度汇报该情况，在站务的配合下对厕所进行临时封锁，穿戴好捕鱼服下至污水泵房对相关设备进行检查。

（3）1 泵、2 泵导流管内均被异物堵塞。

（4）打开保持器，拿出电极棒，发现电极棒被异物遮挡。

（5）初步判断是因导流管及电极棒被异物遮挡及堵塞，导致水泵无法正常运行。

（四）故障实际查找过程及确认

（1）对导流管及电极棒进行疏通清理后重新安装，并对控制箱进行重新启动。

（2）水泵正常运行，成功将污水泵房内污水排出，车控室销点，并汇报调度故障已排除，不影响行车及客运服务，通知站务厕所可以正常使用，解除封锁。

（3）对污水泵房进行清洁打扫。

三、原因分析

因密闭提升箱内有异物，电极棒与导流管被遮挡及堵塞，导致污水密闭提升装置不能正常运转。

四、案例处理优化分析

按时定期对潜水泵组进行巡检及保养，落实到位，落实到人；加强宣传，让乘客文明使用卫生间，切勿将其他异物扔进便池，导致相关设备损坏。

五、专家提示

（1）如果遇到类似情况，给排水维修员须第一时间赶赴现场，对故障进行处理，避免事故扩大。

（2）如遇控制箱故障，应先查主回路的电源是否导通，电压是否正常，是否缺相，检查顺序是开关→接触器→热继电器→电机；控制回路，“启、保、停”（启动、保持、停止）。一个按钮按下去，检查是否正常，如果正常就检查下一步，如果不正常，则使用万能表检查电路，根据原理图查出原因，如线路故障（断线，破皮，端头松动等）、元件故障（继电器接触器的常开常闭触点是否能可靠吸合或者断开，线圈是否动作正常，接触器是否进灰，热继电器是否发热等）。

六、预防措施

（1）加强宣传，让乘客文明使用卫生间，切勿将其他异物扔进便池，导致相关设备的损坏。

（2）按时定期对密闭提升装置进行巡检及保养，落实到位，落实到人。

七、思考题

如果让你去处理该故障，你会怎么做？能否安全、顺利地处理完相关故障？对于密闭提升装置模块，你觉得自己还欠缺哪些知识？

模块训练

班级：　　　　　　　　姓名：　　　　　　　　训练时间：

<table>
<tr><th>任务训练单</th><th>突发事件处理相关作业</th></tr>
<tr><td>任务目标</td><td>掌握密闭提升装置的操作流程，能对密闭提升装置进行操作，能对密闭提升装置进行日常巡检、维护保养及处理常见的故障</td></tr>
<tr><td>任务训练</td><td>请从下列任务中选择其中的两个进行训练：工作交接的具体内容、清点检修作业安全控制辅助工具、按要求填写日常表格、工作交接的流程</td></tr>
<tr><td colspan="2">任务训练一
（说明：总结车站请销点、设备的操作、日常巡检及维护保养、处理常见故障作业流程，并进行实操练习）</td></tr>
<tr><td colspan="2">任务训练二
（说明：总结日常巡检及维护保养，处理常见故障作业流程，并进行实操练习）</td></tr>
<tr><td colspan="2">任务训练的其他说明或建议：</td></tr>
<tr><td colspan="2">指导老师评语：</td></tr>
<tr><td colspan="2">任务完成人签字：　　　　　　　　日期：　　年　　月　　日
指导老师签字：　　　　　　　　日期：　　年　　月　　日</td></tr>
</table>

模块小结

本模块讲述了密闭提升装置的作用、组成及该设备的操作要求及流程。

同时，本模块介绍了密闭提升装置（周巡检、季保养、年保养）的巡检保养项目，以及常见故障的处理方法。模块中对于这些常见故障给出了相关的处理案例。

模块自测

一、填空题

1. 密闭提升装置是将（　　　　）和（　　　　）、（　　　　），以及（　　　　）组成了一套系统，用于提升和输送低于下水道或远离市政管网的废污水。

2. 根据《机电设备维修规程》中密闭提升装置保养规定，密闭提升装置的日常维护主要包括（　　　　）、（　　　　）和（　　　　）。

3. 如果出现污水已溢出密闭提升箱，提升装置未将污水排出站外的情况，则主要原因是（　　　　　）。

二、简答题

1. 密闭提升装置在地铁车站扮演着什么样的角色？
2. 简述密闭提升装置的组成。
3. 简述密闭提升装置的检修流程。
4. 简述密闭提升装置的常见故障及故障处理方法。（至少两条）
5. 写出密闭提升装置的周巡检内容。
6. 请您根据本模块所学的知识，实操完成密闭提升装置的现场控制柜自动操作及手动操作。

模块六 电动蝶阀、管道及阀门操作与故障应急处理

案例导学

寒冬的来袭，伴随着冰冷的空气，某地铁车站内暴露在空气表面的水管受到热胀冷缩爆裂，水花四溅，几分钟后地铁维修人员赶到现场，冷静判断后，关闭了周边几个阀门，水流慢慢变小，直至消失。

那么，电动蝶阀、管道及阀门在这过程中到底发挥了怎样的作用？如果电动蝶阀、管道及阀门出故障应可怎么办呢？以上的问题可以通过学习本模块得到解决。

学习目标

（1）掌握电动蝶阀、阀门的结构、功能等能明确此次操作的目的。

（2）掌握电动蝶阀（就地、远程）、阀门的操作方法及注意事项。

（3）掌握电动蝶阀控制箱控制原理、电动蝶阀就地位、远程的设定及能通过BAS界面远程操作设备。

（4）掌握电动蝶阀、阀门检修保养规程及检修内容。

（5）掌握电动蝶阀、阀门检修保养记录单的填写要求。

（6）掌握电动蝶阀、阀门不能操作的原因及处理方法。

（7）了解电动蝶阀、阀门更换的流程及故障处理的要求。

（8）掌握故障处理记录的要求。

技能目标

（1）能够对电动蝶阀（就地、远程）、阀门进行操作。

（2）能按电动蝶阀、阀门检修保养规程及检修内容对电动蝶阀、阀门设备进行保养，并正确填写保养记录单。

（3）能对电动蝶阀、阀门进行更换。

（4）能正确填写故障处理记录。

任务一 电动蝶阀、管道及阀门操作

轨道交通给排水专业常见阀门有电动蝶阀、闸阀、蝶阀、截止阀、球阀、泄压阀、倒流防止器、止回阀、信号蝶阀、湿式报警阀等。

一、电动蝶阀

（一）电动蝶阀介绍

电动蝶阀（见图 6-1）属于电动阀门和电动调节阀中的一个品种。由电动执行机构和蝶阀组成，它以电能作为驱动力来驱动蝶阀阀板，做 0 ~ 90°部分回转运动。电动蝶阀连接方式主要有法兰式和对夹式。电动蝶阀密封形式主要有橡胶密封和金属密封。电动蝶阀通过电源信号来控制蝶阀的开关。该产品可用作管道系统的切断阀，控制阀和止回阀。附带手动控制装置，一旦出现电源故障，可以临时用手动操作，不至于影响使用。用于区间消防给水管系统的供回水管。电动蝶阀 BAS 操作界面如图 6-2 所示。

（a）

（b）

图 6-1　电动蝶阀

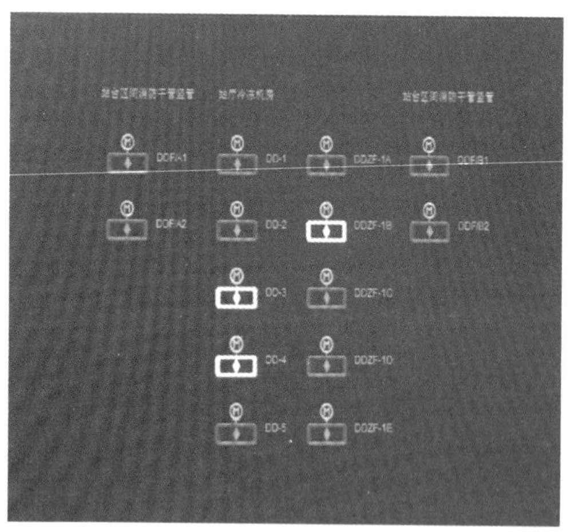

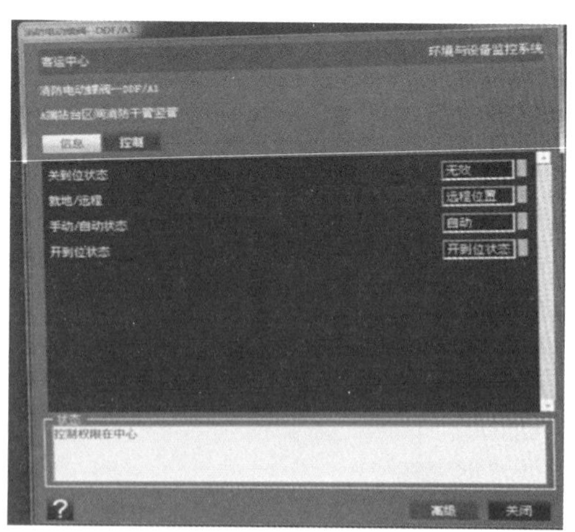

图 6-2　BAS 操作界面

（二）应用范围

电动蝶阀应用范围主要有以下几类。

（1）用于自动控制系统，如食品、环保、轻工、石油、化工、暖通、市政工程、造纸、电力、水处理等行业的过程自动控制系统。

（2）用于人工不适宜、无法操作或需要远程快速控制的场所，如高温、高腐蚀性、有毒有害等场所。

（3）轨道交通行业多用于区间消火栓管道、通风空调冷却冷冻管道系统中，用于远程快速操作阀门启闭，提高作业效率。

（三）安装要点

（1）在安装时，阀瓣要停在关闭的位置上。

（2）开启位置应按蝶板的旋转角度来确定。

（3）带有旁通阀的蝶阀，开启前应先打开旁通阀。

（4）应按制造厂的安装说明书进行安装，质量大的蝶阀，应设置牢固的基础。

二、闸阀

闸阀的启闭件是闸板，闸板的运动方向与流体方向相垂直，闸阀只能作全开和全关，不能作调节和节流，如图 6-3 ~ 图 6-5 所示。

图 6-3 暗杆闸阀

图 6-4 明杆闸阀

图 6-5 闸阀剖切图

根据密封面结构形式不同，闸阀有以下几种形式。

平行闸板：两个密封面互相平行，双闸板由两块对称平行放置的闸板组成，两圆盘之间装有顶楔。它与两闸板采用斜面配合。当闸板下降时，顶楔靠斜面的作用使两闸板张开，并紧压在阀座的密封面上达到密封，阀门关闭；当闸板上升时，顶楔先脱离闸板，待闸板上升到一定高度，顶楔被闸板上的凸块托起，并随闸板一起上升。平行式闸板阀密封面的加 T 和检修要比楔式闸板阀方便得多，但平行式闸板阀受热后闸板易卡在阀座里。

楔形闸板：两个密封面有一夹角呈楔形，不易发生闸板被卡阻的现象。楔式闸阀适用于市政、环保、冶金、化工等介质为水、蒸汽或油品的管道上。

平板闸板：是一块整体闸板，也称浆液阀或刀闸阀，采用对夹式结构，结构简单、体积小、质量轻。浆液阀、刀闸阀广泛应用于煤炭、造纸、制糖、食品、净化、除尘、污水等工业，适用介质为浆液、污水、粉渣、灰渣等。其完全直通的通道，可防止介质在阀内沉积；新型 U 形密封圈或单侧橡胶圈，可保证阀门具有良好的密闭性。流阻小，启闭力矩小，安装维修方便。

（一）结构形式

闸阀也叫闸板阀，由阀体、阀座、阀板、阀盖、阀杆、填料、压盖、手轮等部件组成。闸板阀在管路中多用于开或全闭的场合，用于接通或截断介质。闸阀结构图如图 6-6 所示。

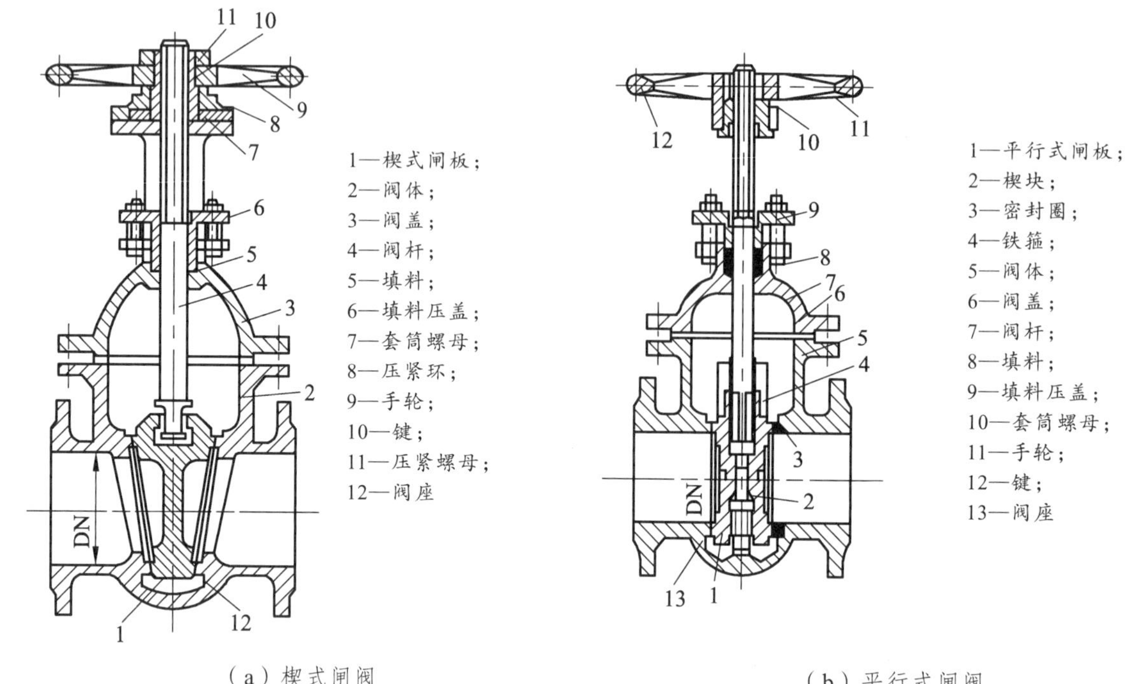

（a）楔式闸阀　　（b）平行式闸阀

图 6-6　闸阀结构图

闸板有两个密封面，最常用的模式闸板阀的两个密封面形成楔形、楔形角随阀门参数而异，通常为 5°，介质温度不高时为 2°52′。楔式闸阀的闸板可以做成一个整体，叫做刚性闸板；也可以做成能产生微量变形的闸板，以改善其工艺性，弥补密封面角度在加工过程中产生的偏差，这种闸板叫做弹性闸板。

闸阀关闭时，密封面可以只依靠介质压力来密封，即依靠介质压力将闸板的密封面压向另一侧的阀座来保证密封面的密封，这就是自密封。大部分闸阀是采用强制密封的，即阀门关闭时，要依靠外力强行将闸板压向阀座，以保证密封面的密封性。

闸阀的闸板随阀杆一起作直线运动的，叫升降杆闸阀，亦叫明杆闸阀。通常在升降杆上有梯形螺纹，通过阀门顶端的螺母以及阀体上的导槽，将旋转运动变为直线运动，也就是将操作转矩变为操作推力。开启阀门时，当闸板提升高度与阀门通径比为 1∶1 时，流体的通道完全畅通，但在运行时，此位置是无法监视的。实际使用时，是以阀杆的顶点作为标志，即开不动的位置，作为它的全开位置。为考虑温度变化出现锁死现象，通常在开到顶点位置上，再倒回 1/2 ~ 1 圈，作为全开阀门的位置。因此，阀门的全开位置，按闸板的位置即行程来确定。有的闸阀，阀杆螺母设在闸板上，手轮转动带动阀杆转动，而使闸板提升，这种阀门叫做旋转杆闸阀，或者叫做暗杆闸阀。

（二）应用范围

闸阀只供全开、全关各类管路或设备上的介质运行之用，不允许作节流用。其适用于 *DN*150 ~ *DN*2500、工作温度 - 29 ~ 425 °C（碳钢）或 - 29 ~ 500 °C（不锈钢）的小口径管路上，用于截断或接通管路中的介质，选用不同的材质，可分别适用于水、蒸汽、油品、硝酸、醋酸、氧化性介质、尿素等多种介质。在石油管道上应用较多。

带手轮或手柄的闸阀，操作时不得再增加辅助杠杠（若遇密封不严，则应检查修复密封面或其他零件）。手轮、手柄顺时针旋转为关闭，反之则开启。带传动机构的闸阀应按产品使用说明书的规定使用。

（三）安装要点

（1）安装位置、高度、进出口方向必须符合设计要求，连接应牢固紧密。

（2）安装在保温管道上的各类手动阀门，手柄均不得向下。

（3）阀门安装前必须进行外观检查，阀门的铭牌应符合现行国家标准《通用阀门标志》（GB 12220）的规定。对于工作压力大于 1.0 MPa 及在主干管上起到切断作用的阀门，安装前应进行强度和严密性能试验，合格后方准使用。强度试验时，试验压力为公称压力的 1.5 倍，持续时间不少于 5 min，阀门壳体、填料应无渗漏为合格。严密性试验时，试验压力为公称压力的 1.1 倍；试验压力在试验持续的时间内应符合 GB 50243 标准要求，以阀瓣密封面无渗漏为合格。

（4）手轮、手柄及传动机构均不允许作起吊用，严禁碰撞。

（5）带传动机构的闸阀，按产品使用说明书的规定安装。

三、蝶阀

蝶阀又叫翻板阀，是一种结构简单的调节阀，可用于低压管道介质的开关控制的蝶阀是指以关闭件（阀瓣或蝶板）为圆盘，围绕阀轴旋转来达到开启与关闭的一种阀，阀门可用于控制空气、水、蒸汽、各种腐蚀性介质、泥浆、油品、液态金属和放射性介质等各种类型流体的流动。在管道上主要起切断和节流作用。蝶阀启闭件是一个圆盘形的蝶板，在阀体内绕其自身的轴线旋转，从而达到启闭或调节的目的。蝶阀涡轮蝶阀（见图 6-7）和手柄蝶阀（见图 6-8）两种。

图 6-7　涡轮蝶阀

图 6-8　手柄蝶阀

（一）结构形式

蝶阀一般由阀体、阀座、阀瓣、衬套、阀杆、驱动装置等部件组成，其结构图如图 6-9 所示。

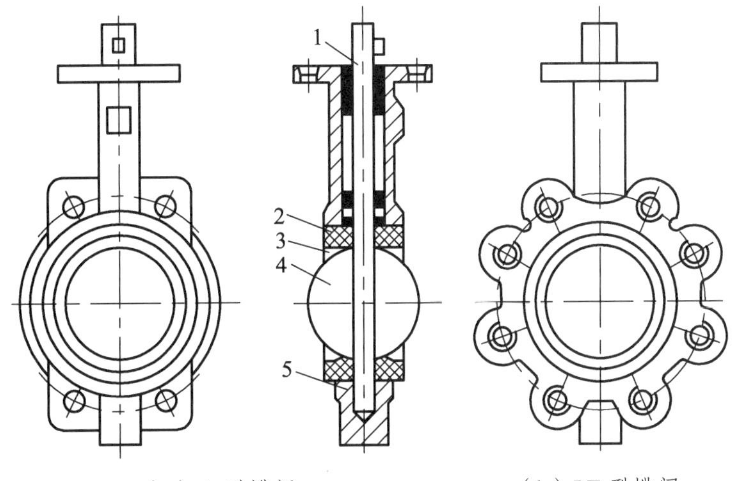

（a）A 型蝶阀　　（b）LT 型蝶阀

图 6-9　蝶阀结构图

1—阀杆；2—衬套；3—阀座；4—阀瓣；5—阀体

（二）应用范围

蝶阀应用广泛，适用于流量调节。由于蝶阀在管路中的压力损失大，大约是闸阀的 3 倍，所以选择蝶阀时，应充分考虑管路系统受压力损失的影响，还应考虑关闭时蝶板承受管道介质压力的坚固性及高温下弹性阀座材料能承受工作温度的限制。蝶阀的结构长度和总体高度比较小，开启、关闭速度快，有良好的流体控制特性，它的架构原理最适合制作大口径阀门。当要求蝶阀作控制流量使用时，最重要的是正确选择蝶阀的尺寸和类型，从而使其更有效地工作。

通常，在节流、调节控制与泥浆介质中，要求结构长度短、启闭速度快。低压截止，推荐使用蝶阀。

（三）安装要点

（1）安装位置、高度、进出口方向必须符合设计要求，连接应牢固紧密。

（2）在安装时，阀瓣要停在关闭的位置上。

（3）开启位置应按蝶板的旋转角度来确定。

（4）带有旁通阀的蝶阀，开启前应先打开旁通阀。

应按制造厂的安装说明书进行安装，质量大的蝶阀，应设置牢固的基础。

四、截止阀

截止阀，如图 6-10 所示，也叫截门，是使用最广泛的一种阀门之一，它之所以广受欢迎，是由于开闭过程中密封面之间摩擦力小，比较耐用，开启高度不大，制造容易，维修方便，不仅适用于中低压，而且适用于高压。截止阀的闭合原理是：依靠阀杠压力，使阀瓣密封面与阀座密封面紧密贴合，阻止介质流通。我国阀门“三化给”曾规定，截止阀的流向，一律采用自上而下，所以安装时有方向性。截止阀的结构 长度大于闸阀，同时流体阻力大，长期运行时，密封可靠性不强。

（a）　　　　（b）

图 6-10　截止阀

（一）结构形式

截止阀一般由阀体、阀座、阀瓣、阀盖、填料、阀杆等部件组成，其结构图如图 6-11 所示。

（二）应用范围

（1）高温、高压介质的管路或装置上宜选用截止阀，如火电厂、核电站、石油化工系统的高温、高压管路上选用截止阀为宜。

（2）对流阻要求不严的管路上，即对压力损失考虑不大的地方可以优先选用截止阀。

（3）小型阀门可选用截止阀，如针阀、仪表阀、取样阀、压力计阀等。

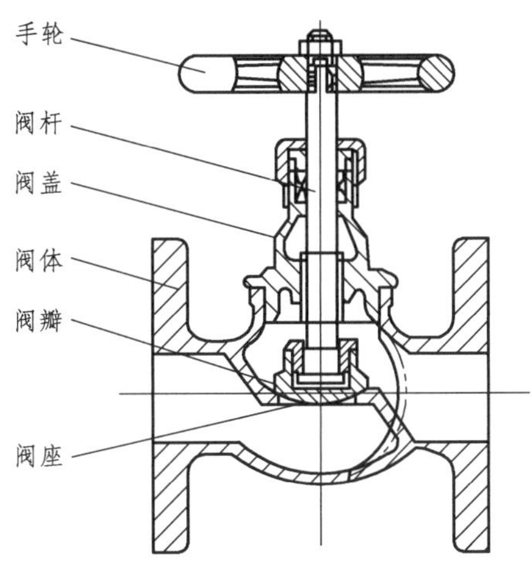

图 6-11　截止阀结构图

（4）有流量调节或压力调节，但对调节精度要求不高，而且管路直径又比较小，如公称尺寸不大于 *DN*50 的管路上，宜选用节流型截止阀。

（5）合成氨工业中的小化肥和大化肥宜选用公称压力 *PN*160 或 *PN*320 的高压角式截止阀或高压角式节流阀。

（6）氧化铝拜尔法生产中的脱硅车间、易结焦的管路上，宜选用阀体分开式、阀座可更换、硬质合金密封副的直流式截止阀或直流式节流阀。

（7）城市建设中的供水、供热工程上，公称尺寸较小的管路，可选用截止阀、平衡阀或柱塞阀，如公称尺寸小于 *DN*150 的管路上。

（三）安装要点

（1）手轮、手柄操作的截止阀可安装在管道的任何位置上。

（2）手轮、手柄及微动机构，不允许作起吊用。

（3）介质的流向应与阀体所示箭头方向一致。

五、球阀

球阀（见图 6-12）的启闭件是一个球体，利用球体绕阀杆的轴线旋转 90°实现开启和关闭的目的。球阀在管道上主要用于切断、分配和改变介质流动方向，设计成 V 形开口的球阀还具有良好的流量调节功能。

图 6-12　球阀

（一）结构形式

阀体可以是整体的，也可以是组合式的。球阀的主要特点是本身结构紧凑，密封可靠，结构简单，维修方便，密封面与球面常在闭合状态，不易被介质冲蚀，易于操作和维修，适用于水、溶剂、酸和天然气等一般工作介质，而且还适用于工作条件恶劣的介质，如氧气、过氧化氢、甲烷和乙烯等，在各行业得到广泛的应用。

球阀一般由阀体、阀座、球体、阀杆、填料、压盖、手轮或手柄等部件组成，其结构图如图 6-13、6-14 所示。

图 6–13 球阀结构图

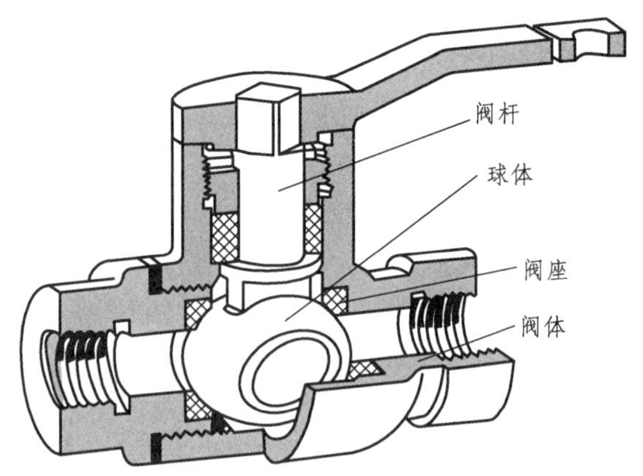

图 6–14 球阀剖切图

（二）应用范围

球阀适合低压、小口径管道上用于截断水流和改变水流的分配或须快速启闭的场所，其广泛应用于化工、石化、石油、造纸、采矿、电力、液化气、食品、制药、给排水、市政、机械设备配套、电子工业、城建等领域。

（三）安装要点

（1）安装位置、高度、进出口方向必须符合设计要求，连接应牢固紧密。

（2）安装在保温管道上的各类手动阀门，手柄均不得向下。

（3）阀门安装前必须进行外观检查，阀门的铭牌应符合现行国家标准《通用阀门标志》（GB 12220）的规定。对于工作压力大于 1.0 MPa 及在主干管上起到切断作用的阀门，安装前应进行强度和严密性能试验，合格后方准使用。强度试验时，试验压力为公称压力的 1.5 倍，持续时间不少于 5 min，阀门壳体、填料应以无渗漏为合格。严密性试验时，试验压力为公称压力的 1.1 倍；试验压力在试验持续的时间应符合 GB 50243 标准要求，以阀瓣密封面无渗漏为合格。

（4）阀法兰与管线法兰间按管路设计要求装上密封垫。

（5）带传动机构的球阀，按产品使用说明书的规定安装。

六、泄压阀

泄压阀又名安全阀，根据系统的工作压力能自动启闭，一般安装于封闭系统的设备或管路上保护系统安全。当设备或管道内压力超过泄压阀设定压力时，即自动开启泄压，保证设备和管道内介质压力在设定压力之下，保护设备和管道，防止发生意外，如图 6-15 所示。

（一）泄压阀的结构

泄压阀结构主要有两大类：弹簧式和杠杆式。弹簧式是指阀瓣与阀座的密封靠弹簧的作用力。杠杆式是靠杠杆和重锤的作用力。随着大容量的需要，又有一种脉冲式泄压阀，也称为先导式泄压阀，由主泄压阀和辅助阀组成。当管道内介质压力超过规定压力值时，辅助阀先开启，介质沿着导管进入主泄压阀，并将主泄压阀打开，使增高的介质压力降低。

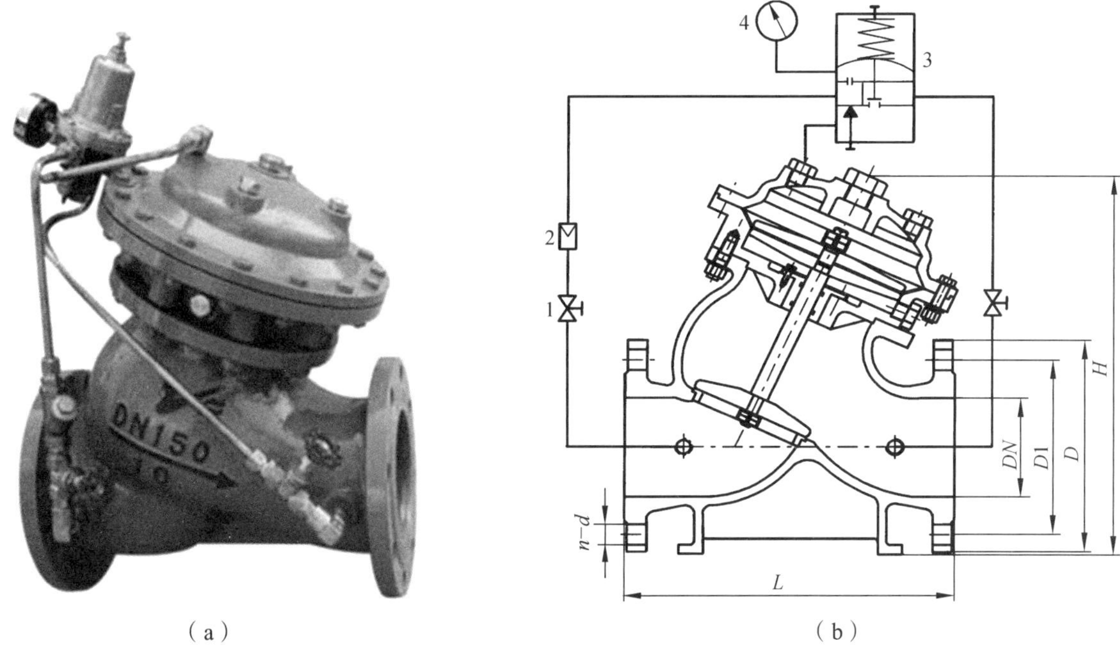

（a）　　　（b）

图 6-15　泄压阀

安全泄压阀由主阀和先导阀及其他外装附件组成，其主阀由阀体、膜片、阀杆、组件、主阀板、阀座等组成，通过外装附件及先导阀实现安全泄压，如图 6-16 所示。

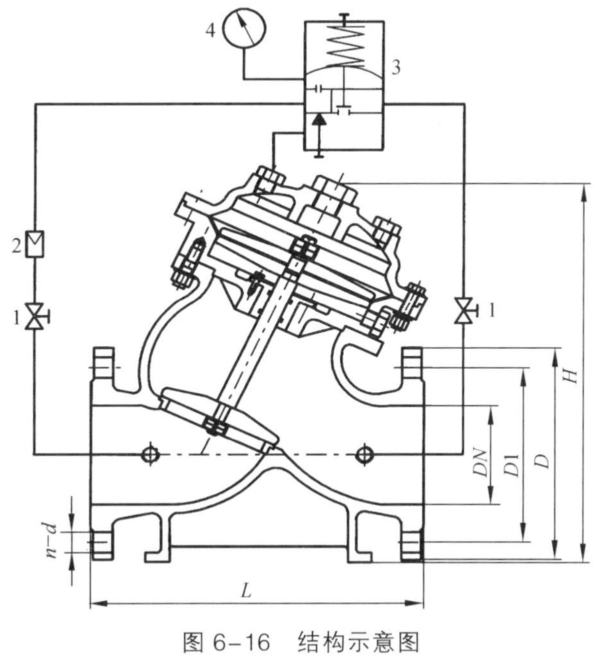

图 6-16　结构示意图

1—闸阀；2—过滤器；3—先导阀；4—压力表

（二）工作原理

（1）安全泄压阀是通过进口压力的变化，反馈到先导阀上，再由先导阀来控制主阀板的启闭，使管路中的压力能保持安全稳定的状态，一旦超压，能及时泄压。

（2）当管路中的压力超过先导阀的设定值时，进口压力水从控制管进入先导阀膜片下腔内，使其压力增高，推动先导阀阀杆上移，先导阀阀板打开，主阀控制室上腔的水从先导阀和控制管排泄，在进口压力水的作用下，主阀板打开。

（3）当管路中的压力下降至低于设定值时，先导阀膜片下腔的压力降低，先导阀阀杆下移，使其阀板关闭，从而导致从控制管进入先导阀再到主阀控制室上腔的压力水的压力增高，在上腔水压作用下主阀板关闭。

七、倒流防止器

倒流防止器（见图 6-17）根据自来水供水设备，尤其是生活饮用水管道回流污染严重，又无有效防止回流污染装置的情况下，研制的一种严格限定管道中水只能单向流动的水力控制组合装置，它的功能是在任何工况下防止管道中的介质倒流，以达到避免倒流污染的目的。

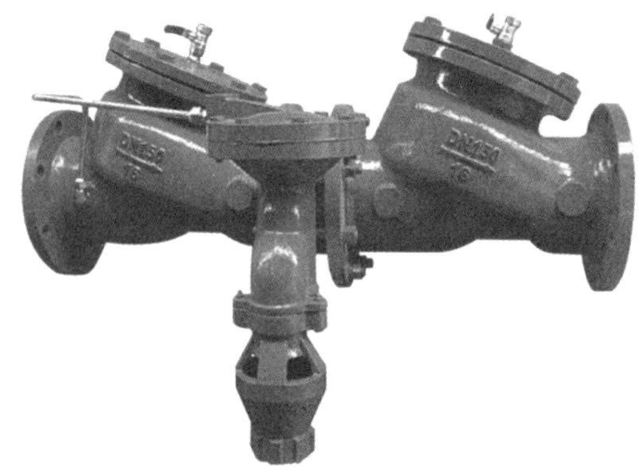

图 6-17　倒流防止器

（一）结构形式

倒流防止器是在两个止回阀之间加一个排水器组成。排水器上腔用高压软管与一级止回阀进口端连接。第一、二级止回阀主要由阀体、阀盖、阀瓣、密封垫、弹簧等组成。排水器主要由阀体、阀盖、隔膜、阀瓣、密封板、阀芯、阀座、弹簧等组成。普通型防污隔断阀为两个止回阀串联而成。工作原理：防污隔断阀为两个止回阀串联而成，当其中有一只密封破坏时，另一只还起密封作用，防止回流。但两只止回阀密封同时破坏后，就失去了止回作用，其安全可靠性相对差些，工作原理较简单。倒流防止器在普通型基础上中间加排水器，这样即使两只止回阀密封同时破坏，其也能起到防止回流污染的作用，如图 6-18 所示。

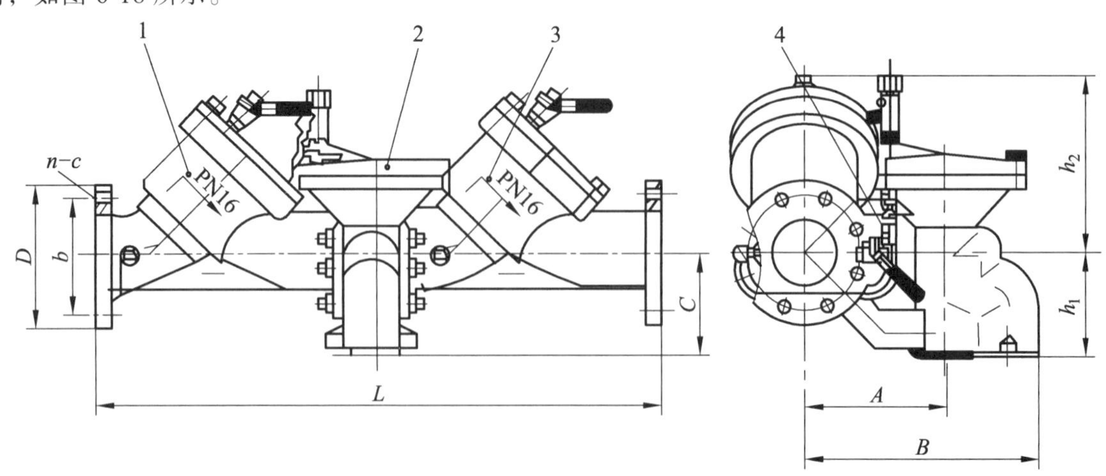

图 6-18　防污隔断阀结构图

1—第一级止回阀；2—排水器；3—第二级止回阀；4—高压软管

（二）应用范围

防污隔断阀在各类管路系统中用于严格阻止介质倒流，保护其后的介质或设备不受污染的场合，包含但不限于以下场合。

（1）自来水管网接入用户的接户管水表后面。

（2）生活用水管道上接出非生活饮用水和排污管，安装于接出管起端。

（3）生活饮用水水箱的进水管上（水箱底部进水时）。

（4）生活饮用水管道上串联加压泵时安装于泵吸水管上。

（5）安装地应保持环境的清洁卫生，必要时对环境进行消毒。

（三）安装要点

（1）倒流防止器必须水平安装，安装地的环境应清洁，并且有足够的维护空间，安全型倒流防止器配有空气隔阻器，其出口必须接至排水管网或下水道中。

（2）安装地域应设排水设施。

（3）阀前应装闸阀（蝶阀）过滤器及橡胶软接头（或伸缩器），阀后装闸阀（蝶阀）。

八、止回阀

止回阀是指依靠介质本身流动而自动开、闭阀瓣，用来防止介质倒流的阀门，又称逆止阀、单向阀、逆流阀和背压阀。止回阀属于一种自动阀门，其主要作用是防止介质倒流，防止泵及驱动电动机反转，以及防止容器介质的泄放。

图 6-19　止回阀

（一）结构形式

止回阀按结构划分，可分为升降式止回阀、旋启式止回阀和蝶式止回阀三种。升降式止回阀可分为立式和直通式两种。旋启式止回阀分为单瓣式、双瓣式和多瓣式三种。蝶式止回阀分为蝶式双瓣、蝶式单瓣。以上几种止回阀在连接形式上可分为螺纹连接、法兰连接、焊接和对夹式连接四种。止回阀结构图如图 6-20 所示。

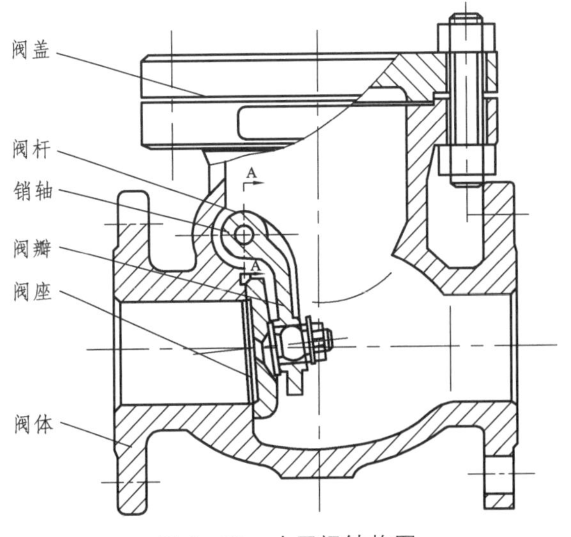

图 6-20　止回阀结构图

（二）应用范围

（1）止回阀主要用于需要防止流体倒流的管道上，主要是防止倒流的流体对系统设备造成冲击、损坏管道或造成污染。

（2）止回阀在水泵供水系统中的作用是防止高压水回流对水泵叶轮的冲击。系统在运行中由于某种原因，水泵突然停止运转时，泵内压力消失，与水泵出口相连的高压水就会反向流回水泵。水泵出口装有止回阀时，它会立即关闭，防止高压水反向流回水泵。

（3）止回阀在热水系统的作用是防止热水回流到管道中。如果是 PVC 管很可能烫坏管道，甚至可能伤人，特别是在太阳能热水器系统中。

（4）止回阀用于排水系统的作用：一是防止污水、雨废水倒流而无法达到排水的目的，二是防止倒流的水对排水设备造成冲击。

（三）安装要点

（1）在管线中不要使止回阀承受重力，大型的止回阀（aetv one-way valve）：应独立支撑，使之不受管系产生的压力的影响。

（2）安装时注意介质流动的方向应与阀体所标箭头方向一致。

（3）升降式垂直瓣止回阀应安装在垂直管道上。

（4）升降式水平瓣止回阀应安装在水平管道上。

九、信号蝶阀

（一）结构形式

信号蝶阀（见图 6-21）是将微动开关、电气元件等装置设计于蝶阀蜗杆、涡轮驱动装置的顶部，一般有以下两种形式。

（1）在传动装置箱体内设有开向、关向两个微动开关，分别在阀门全开和关闭时动作，接通控制室“阀开”“阀关”指示灯源，使之准确显示阀门开关状态。

（2）在传动装置箱体内设关向微动开关（蝶板全关位置为 0°），当蝶板在 0°～40°位置时微动开关支作，输出阀门关闭信号，40°～90°位置时另一对常闭可输出阀门打开信号。可调整压触微动开关的凸轮，显示蝶板所处的不同位置。

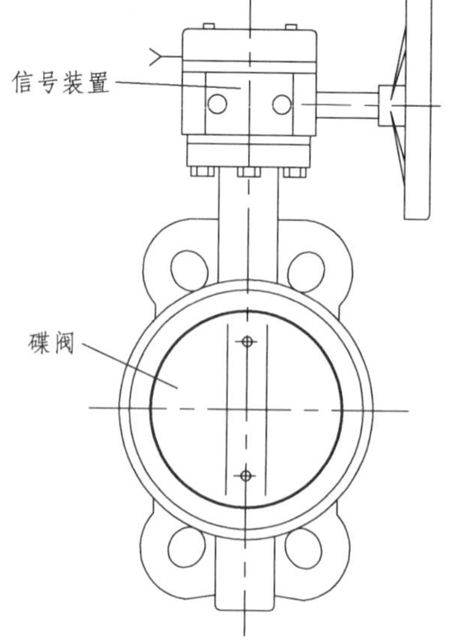

图 6-21　信号蝶阀

（二）应用范围

（1）信号蝶阀适用于石油、化工、食品、医药、冶金、船舶、造纸、工业环保、给排水、高层建筑消防管道上，显示开关信号，作关闭或调节介质流量之用，也可代替一般涡轮传动蝶阀截流及调节流量使用。

（2）轨道交通行业一般使用在自动喷淋系统的干管上，因自动喷淋系统为全自动的系统（不像消火栓需要人来操作），而自动喷淋的所有阀门必须在消防控制室内的仪表上显示其开/闭状态，否则人为误关后系统将全面瘫痪，所以采用信号蝶阀是监视用的。（其基本作用同同通阀门，只是需要有信号传到消控室）

（三）安装要点

（1）阀门的连接方式应与管道连接方式相一致。

（2）设置在介质单向流动管道上的阀门，阀体上的箭头方向应与管道水流方向一致。

（3）阀门水平安装时，阀盖、阀杆应朝上；垂直安装时，阀盖、阀杆应朝外。

（4）阀门应设支架，阀门重力不应附加在管道上。

十、湿式报警阀

湿式报警阀平时阀瓣前后水压相等（水通过导向管中的水压平衡小孔，保持阀瓣前后水压平衡）。由于阀瓣的自重和阀瓣前后所承受水的总压力不同，阀瓣处于关闭状态（阀瓣上面的总压力大于阀芯下面的总压力）。发生火灾时，闭式喷头喷水，由于水压平衡小孔来不及补水，报警阀上面水压下降，此时阀瓣前水压大于阀瓣后水压，于是阀瓣开启，向立管及管网供水，同时水沿着报警阀的环形槽进入延时器、压力开关及水力警铃等设施，发出火警信号并启动消防泵，职图文并茂 6-22 所示。

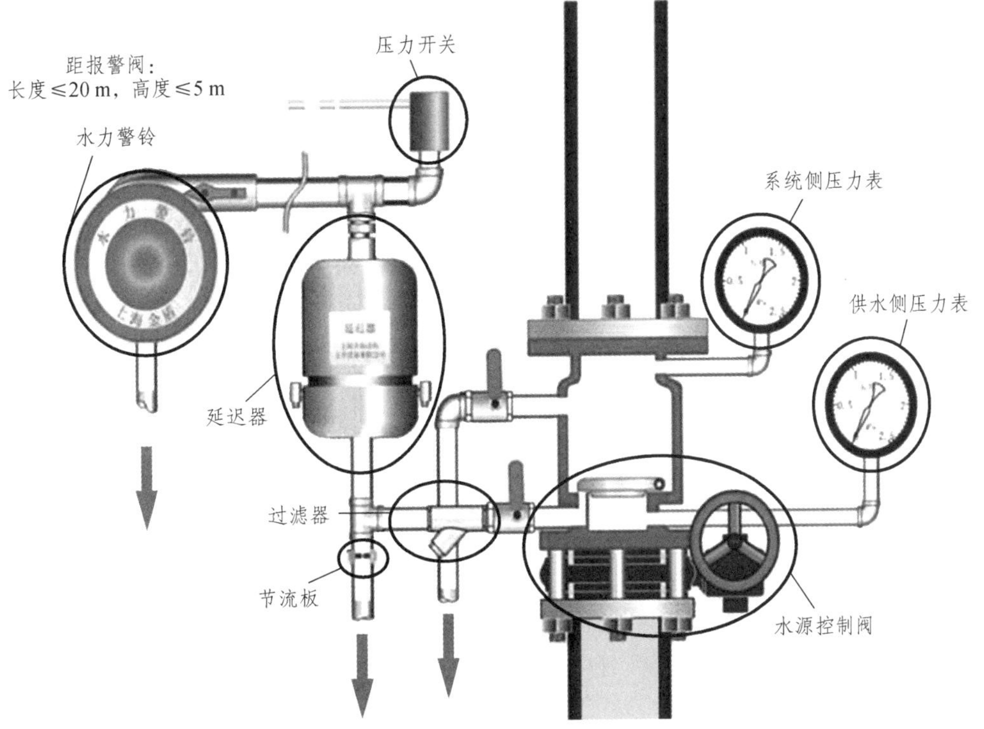

图 6-22　湿式报警阀

（一）结构形式

湿式报警阀由阀体、检修盖板、阀瓣总成、阀座等组成，其结构如图 6-23 所示。

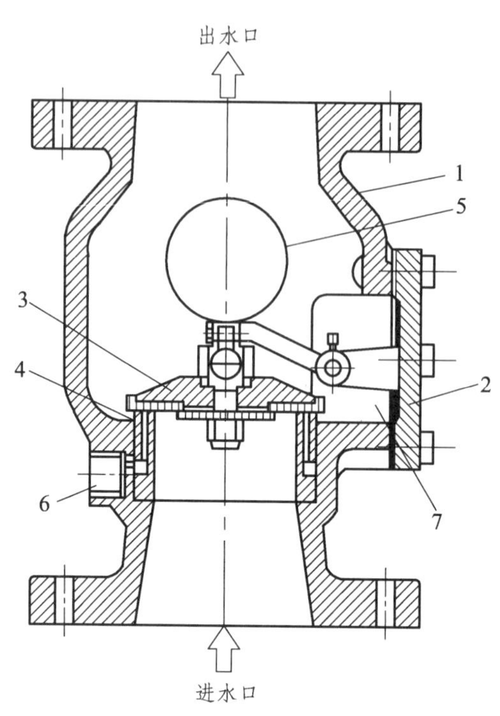

图 6-23 湿式报警阀结构图

1—阀体；2—检修盖板；3—阀瓣总成；4—阀座；5—测试口（泄水口）；6—报警口；7—检修口

（二）应用范围

湿式报警阀与延迟器、水力警铃、洒水喷头、消防供水系统等连接组成自动喷水灭火系统，是自动喷水灭火系统中重要报警控制阀门。

（三）安装要点

（1）湿式报警阀、延迟器和水力警铃的安装位置周围，应留有充分的维修空间，以保证在最短的停机时间内修复，报警阀距地面的高度为 1.2 m。

（2）水力警铃是湿式报警阀的一个主要部件。水力警铃应设在有人值班的地点附近。其与报警阀的连接管道，管径为 20 mm，总长不宜大于 20 m，安装高度不宜超过 2 m，并应设排水设施。

（3）湿式报警阀、延迟器和水力警铃之间的安装距离、安装高度及管路直径应保证其功能符合相关要求。

（4）湿式报警阀、延迟器和水力警铃应能使用通用工具进行安装和现场维修。

十一、手动水阀门操作方法

旋转手轮可使阀门打开或关闭。

（1）顺时针方向旋转手轮，开度指针随之往“关”（close）的方向移动,开度变小。当指针指向“关”（close）时，阀门全部关闭（见图 6-24）。

（2）反时针方向旋转手轮，开度指针随之往“开”（open）的方向移动，开度变大。当指针指向“开”（open）时，阀门全部打开（见图 6-25）。

（3）当需要水阀全开或全关时，手轮旋到位后，不要用力过大，以免损坏传动机构。

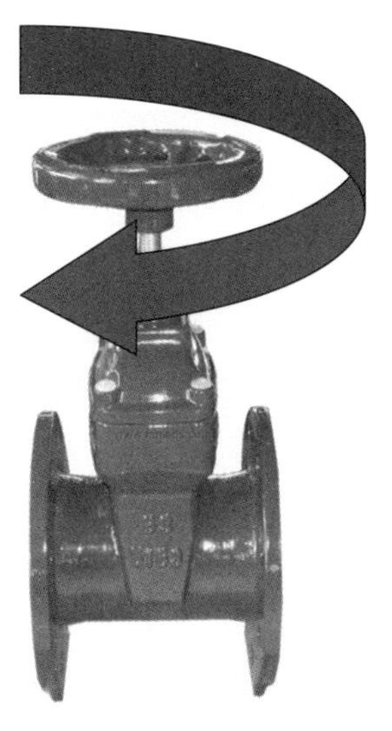

图 6-24　关阀门

图 6-25　开阀门

十二、电动蝶阀操作方法

电动蝶阀主要有远程和就地两种操作，其中区间消防电动蝶阀分为 BAS 界面远程操作和就地手动操作方式，车站消防电动蝶阀分为 BAS 界面远程操作和就地手动操作。

（一）BAS 界面远程操作

（1）车站请点，同时联系环调申请车站控制授权。

（2）车控室 BAS 控制电脑界面上，双击电动蝶阀图标，进入控制界面。

（3）打开：点“控制”，执行打开操作。

（4）关闭：点“控制”，执行关闭操作。

（5）查看设备详情，确认“状态”是否打开或关闭。

（6）办理销点手续。

（二）就地手动操作

（1）车站请点。

（2）了解现场各个按钮的作用及开度显示。

（3）现场电动蝶阀执行器的手自动位打至就地位。

（4）打开：将开关旋钮旋至开位，直至阀门全开。

（5）关闭：将开关旋钮旋至关位，直至阀门全关。

（6）办理销点手续。

任务实施

一、管道阀门

管道阀门的日常维护主要包括季巡检及年保养。

（一）季巡检

（1）检查管道、阀门固定支架、吊架及卡箍是否正常、牢固。

（2）检查阀门开关状态是否正常，是否有渗漏、腐蚀。

（二）年保养

（1）管道防寒、保温修复和更换，除锈、补漆。

（2）管道固定支架、吊架及卡箍紧固，视情况更换阀门密封填料。

二、电动蝶阀（含配电箱）

电动蝶阀的日常维护主要包括周巡检及季保养。

（一）周巡检

（1）检查管道、阀门固定支架、吊架及卡箍是否正常、牢固。

（2）检查阀门开关状态是否正常，是否有渗漏、腐蚀。

（3）检查控制箱箱体和箱门是否变形，箱门是否关好。

（4）各转换开关位置是否正确（手自动转换开关打在自动位），双电源切换箱是否正常（如在备用电位置，检查主用点情况），检查指示灯指示是否正确。

（5）箱门锁正常，箱体清洁，离开时确认泵房门、窗已关好。

（二）季保养

（1）电动蝶阀等检查执行机构完好，远控功能试验。

（2）双电源切换功能试验。

（3）箱体内外清洁。

（4）检查箱内元器件是否有发热痕迹，是否有异响。

（5）检查是否有断路器跳闸，如有，则在具备试合条件后，试合闸一次，试合不成功则报故障维修。

（6）检查指示灯、开关、按钮、电缆（导线）等元器件标识是否齐全完好，修补完善标识。

（7）检查箱体及元器件是否破损、安装松动，安装紧固；线路绑扎、整理。

（8）检查转换开关转动是否灵活可靠。

（9）主、控回路接线紧固，各接线端子、液位计接线紧固，有无发热、破损等。

（10）检查断路器整定值设置是否正确。

（11）电机接线端子的紧固。

（12）除锈、补漆。

（13）检查所有螺丝螺母的锈蚀程度是否影响使用，若影响必须进行更换或防腐。

表 6-1 常见故障分析及处理方法指引

故障现象	产生原因	处理方法
管道连接处漏水	密封垫片的压紧力不足	拧紧
	结合面的粗糙度不符合要求	更换法兰
	垫片变形、老化、回弹力下降、龟裂	更换垫片
	螺栓变形或伸长	更换螺栓
	垫片装偏，使局部紧力过度，超过密封垫片的设计极限	重新安装
	法兰紧固过程中用力不均或两法兰中心线偏移	重新安装
给水管道爆裂	管道压力过大	采取降压措施降低管网压力
	管道本身质量问题	更换
	水锤现象严重	采取降低水锤措施

续表

故障现象	产生原因	处理方法
金属软管、波纹伸缩节爆管	本身质量问题	更换
	选用规格过小，伸缩量不够	更换
管道卡箍连接处漏水	卡箍紧固螺栓未拧紧	重新拧紧
	卡箍密封胶圈老化	更换密封胶圈
	卡箍两端管道错位严重	调整管道
	卡箍断裂	更换卡箍
	卡箍密封胶圈与管道沟槽之间有杂物	清除杂物
	卡箍两端管道支架靠近卡箍	适当调整两端支架位置
电动蝶阀阀门两端面泄漏	两侧密封垫片失效	更换密封垫片
	管法兰压紧力不均或未压紧	压紧法兰螺栓（均匀用力）
电动蝶阀密封面泄漏	蝶板及密封的关闭位置吻合不正	调整蜗轮或电动执行器等执行机构的限位螺钉，以达阀门关闭位置正确
	久闭的阀门在密封面上积垢	将阀门开一条缝，让高速流体冲掉积垢
	密封面损伤	重新研磨，调整垫片补偿
电动蝶阀法兰结构处泄漏	螺柱拧紧力不均	重新均匀拧紧螺栓
	垫片老化损伤	更换垫片
	垫片选用材料与工况介质要求不符	按工况要求正确选用垫片材质和形式，必要时与厂家联系
电动蝶阀涡轮、蜗杆传动卡咬	不清洁嵌入脏物，影响润滑	清除脏物，保持清洁，定期加油
	操作不善	若操作时发现卡咬，阻力很大时，不能继续操作，应立即停止，彻底检查
消防管路漏水	管路渗漏	及时关闭漏水点相邻管段阀门，对泄漏点进行封堵
		及时关闭相邻管段阀门，更换相应爆管管路
消火栓漏水	消火栓壳体有裂纹	更换消火栓
	消火栓未关死	重新关紧
	消火栓阀芯橡胶垫片老化	更换阀芯垫片
	阀芯与阀座之间有杂物	重新开启后再关紧
	阀杆断裂	更换

任务评价

根据以上学习内容，评价自己对本任务内容的掌握程度，在下表相应空格里打“√”。

评价内容	差	合格	良好	优秀
对电动蝶阀、管道及阀门系统结构、功能、工作原理等的掌握程度				
对电动蝶阀、管道及阀门系统操作流程的掌握程度				
对电动蝶阀、管道及阀门系统保养维护流程的掌握程度				
学习中存在的问题或感悟				

任务二 电动蝶阀、管道及阀门故障案例

一、故障概况

（1）设备名称或型号：阀门。
（2）故障类型或现象：阀门、阀杆升降失灵。
（3）故障影响程度与等级：如发生故障需检修时，阀杆无法升降，将严重影响检修作业或应急抢险。

二、故障处理经过简介

（一）信息获得

某日，接报站务故障，鄞州大道站 A 口消火栓箱内弯头破裂导致漏水，距该消火栓箱最近的两侧蝶阀有一个不能关闭。

（二）先期故障判断及准备内容

消火栓发生漏水，相邻环管上的两个蝶阀无法关闭，积水越来越多，如继续发展将影响客运服务。

（三）故障现象确认及初步诊断

给排水人员到达现场，对该阀门进行操作发现阀杆升降失灵，导致该阀门无法进行操作。

（四）故障实际查找过程及确认

通过对该蝶阀的操作，发现阀杆升降失灵。

（五）故障排除方法及结果

（1）车站请点，调度请点，首先将消防泵转换开关调至手动位，以免因出水侧压力小导致消防泵启动，造成更大的影响。
（2）关闭故障阀门最近的另一个阀门，漏水点的另外一侧也需彻底关闭（因消防系统环管呈环状布置，如只关闭一侧不能阀门，漏水点会持续漏水）。
（3）对破裂的弯头进行更换，对故障阀门进行修复，如不能修复则对该阀门进行更换。
（4）对更换的阀门弯头进行修复，对该段管道进行压力测试，正常后消防泵转换开关切换至自动，回复车站、调度故障排除、不影响行车及客运服务。

三、原因分析

阀杆升降失灵的主要原因有以下几个。
（1）作力过猛使螺纹损伤。
（2）缺乏润滑或润滑剂失效。
（3）阀杆弯扭。
（4）表面光洁度不够。
（5）配合公差不准，咬得过紧。

（6）阀杆螺母倾斜。
（7）材料选择不当，例如阀杆和阀杆螺母为同一材质，容易咬住。
（8）螺纹被介质腐蚀（指暗杆阀门或阀杆螺母在下部的阀门）。
（9）露天阀门缺乏保护，阀杆螺纹沾满尘砂，或者被雨、露、霜、雪所锈蚀。

四、案例处理优化分析

（一）案例处理的优化解决方案

该故障处理的流程较为稳妥，如发生漏水则需先进行相应阀门的关闭作业，防止事故继续扩大影响行车或客运服务。

（二）故障正确处理的方法及关键步骤

（1）站务人员应第一时间通知归属中心，并对相应区域进行封锁，关闭相关阀门，如无法确定应该关闭哪个阀门，则对车站进户总阀门进行关闭；对乘客做好疏散及解释工作，避免围观及造成其他负面影响。

（2）给排水维修人员第一时间赶赴现场，关闭漏水点消防环管两侧阀门，及时清理积水，避免因漏水范围扩大影响客运服务。

五、专家提示

（1）如果遇到车站管道破裂或阀门漏水等一定第一时间确定专业，通知相关中心，及时对相关阀门进行关闭，避免事故扩大.

（2）同时加强对管道阀门的巡检及保养工作。

六、预防措施

（1）精心操作，启闭时不要使猛劲，开启时不要上到死点，开完后将手轮倒转一两圈，使螺纹上侧密合，以免介质推动阀杆向上冲击。

（2）经常检查润滑情况，保持正常的润滑状态。

（3）不要用长杠杆开闭阀门，习惯使用短杠杆的工人要严格控制用力分寸，以防扭弯阀杆（此处指手轮和阀杆直接连接的阀门）。

（4）提高加工或修理质量，达到规范要求。

（5）材料要耐腐蚀，适应工作温度和其他工作条件。

（6）阀杆螺母不要采用与阀杆相同的材质。

（7）采用塑料作阀杆螺母时，要验算强度，不能只考虑耐腐蚀性好和摩擦系数小，还须考虑强度问题，强度不够就不要使用。

（8）露天阀门要加阀杆保护套。

（9）常开阀门，要定期转动手轮，以免阀杆锈住。

七、思考题

如果让你去处理该漏水故障，遇到阀门阀杆无法升降、阀门无法关闭的情况，你会怎么做？

模块训练

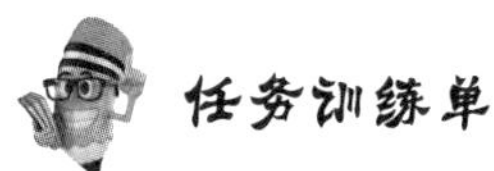

班级： 姓名： 训练时间：

任务训练单	突发事件处理相关作业
任务目标	掌握电动蝶阀、管道及阀门的作用、结构功能和操作流程，能对电动蝶阀、管道及阀门进行操作，能对电动蝶阀、管道及阀门进行日常巡检、维护保养及处理常见的故障
任务训练	车站请销点、设备的操作、设备的保养、常见故障的处理
任务训练一 （说明：总结车站请销点、设备的操作、日常巡检及维护保养、处理常见故障作业流程，并进行实操练习）	
任务训练二 （说明：总结日常巡检及维护保养、处理常见故障作业流程，并进行实操练习）	
任务训练的其他说明或建议：	
指导老师评语：	
任务完成人签字：	日期：　　年　　月　　日
指导老师签字：	日期：　　年　　月　　日

模块小结

本模块讲述了电动蝶阀、管道及阀门的工作原理、结构形式、应用范围、安装要点，以及操作方法及操作流程。

同时，本模块介绍了电动蝶阀（周巡检、季保养）、管道及阀门（季巡检、年保养）的巡检保养项目，以及常见故障的处理方法。模块中对于这些常见故障给出了相关的处理案例。

模块自测

一、填空题

1. 轨道交通给排水专业常见阀门有(　　　　)、(　　　　)、(　　　　)、(　　　　)、(　　　　)、(　　　　)等。

2. 如果给水管道爆裂，主要原因有（　　　　　　）、（　　　　　　）、（　　　　　　）；我们应该通过（　　　　　）、（　　　　　）、（　　　　　）来解决故障。

二、简答题

1. 电动蝶阀应用范围主要有哪几类？简述这几种范围。
2. 写出截止阀一般组成部分并简述截止阀的闭合原理。
3. 简述球阀的主要特点。
4. 简述倒流防止器的功能。
5. 请根据本模块所学的知识，实操完成车站消防电动蝶阀 BAS 界面远程操作和就地手动操作。

模块七　水泵控制箱操作与故障应急处理

案例导学

梅雨季节，天空多日阴沉，雨水连绵不断。和往常一样，小明乘坐地铁上班，不巧的是地铁入口自动扶梯出现故障，禁止使用。看到维修人员正在一个控制箱面前操作，才知道是由于积水过高，影响到扶梯启动，正在通过水泵控制箱抽水。几分钟后，积水水位下降，自动扶梯投入正常使用。

那么，水泵控制箱在该过程中到底起到了怎样的作用？如果水泵控制箱出故障了可怎么办呢？以上问题可以通过学习本模块得到解决。

学习目标

（1）掌握水泵控制箱的控制原理及各元器件的功能。

（2）掌握水泵控制箱周巡检、季保养、年保养检修保养规程及检修内容。

（3）掌握水泵控制箱检修保养记录单的填写要求。

（4）能处理断路器跳闸引起的故障。

（5）掌握处理线路故障、元器件损坏引起的故障、简单的负载故障、简单参数设置的方法。

（6）掌握故障处理记录的要求。

技能目标

（1）能够按水泵控制箱检修保养规程及检修内容对水泵控制箱进行保养，并正确填写保养记录单。

（2）能够协助处理断路器跳闸、线路故障、元器件损坏引起的故障、简单的负载故障引起的故障。

（3）能够对简单参数进行设置。

（4）能正确填写故障处理记录。

任务一　水泵控制箱维护

一、控制箱的概述

水泵控制箱主要适用于工农业生产和各类建筑给水、排水、消防、喷淋管网增压及暖通空调冷热水循环等多种场合的水泵自动控制（集水泵、废水泵、污水提升泵、消防泵、稳压泵、变频恒压生活给水泵等）。

水泵控制箱具有过载、短路、缺相保护及泵体漏水、电机超温及漏电等多种保护功能和齐全的状态显示，并具备单泵及多泵控制工作模式，多种主备泵切换方式及各类起动方式。

（一）控制类型

（1）液位控制：该控制箱配高性能浮球开关，根据液位的高、低变化，自动控制给排水泵的开、停。

（2）压力控制：外接电接点压力表或压力控制器，可根据管网压力的变化自动开泵、关泵，本型大量应用于生活给水及消防增压系统（消防压力开关的作用是当消防喷淋管道里的压力小于供水端压力时，压力开关会自动动作，并且将动作信号反馈回火灾自动报警系统主机上。控制主机收到信号启动消防喷淋泵进行加压）。

（3）温度控制：外接温度控制器，根据设定的温度范围开泵或关泵，应用于恒温、热交换系统等需温度控制的场合。

（4）时间控制：机箱面板设有时间设定按钮和显示器，用户可根据定时需要控制水泵的开启和关闭，适用于各种定时或有规律的间歇式工作方式的控制。

（二）特点分析

1. 启动方式

水泵控制箱启动方式分为全压启动、星三角降压启动、自耦降压启动、软启动及变频启动等。

2. 主要回路

水泵控制箱主要回路由隔离电路、短路保护、过载（后备）保护电路、启停（变速）控制电器、热继电器及配电线电缆等组成，形成对水泵电机有效的保护。按需设置各类监控信号。

3. 技术参数

（1）直接启动控制箱。

控制电机功率：0.37 kW ~ 15 kW。

控制电压：380 V。

控制水泵台数：1 ~ 4 台。

（2）星三角降压启动控制箱。

控制电机功率：15 ~ 160 kW。

控制电压：380 V。

控制水泵台数：1 ~ 5 台。

（3）自耦降压启动控制箱。

控制电机功率：15 kW ~ 160 kW。

控制电压：380 V。

控制水泵台数：1 ~ 5 台。

（4）软启动、变频调速控制箱。

控制电机功率：0.18 kW ~ 250 kW。

控制电压：380 V。

控制电机台数：1 ~ 7 台。

压力控制精度：0.02MPa 或 ~ 0.02MPa。

图 7-1 超声波液位仪

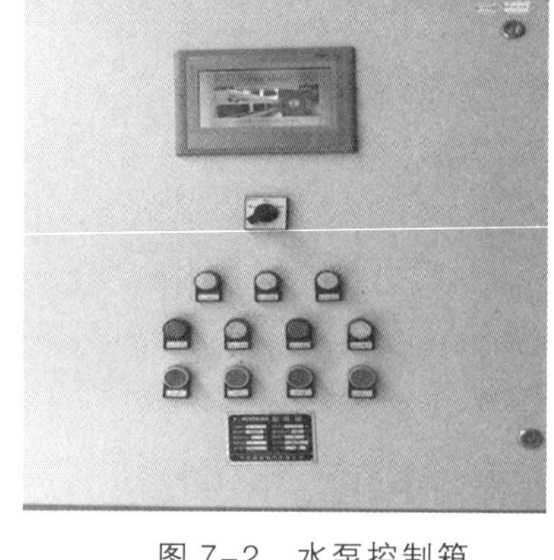

图 7-2 水泵控制箱

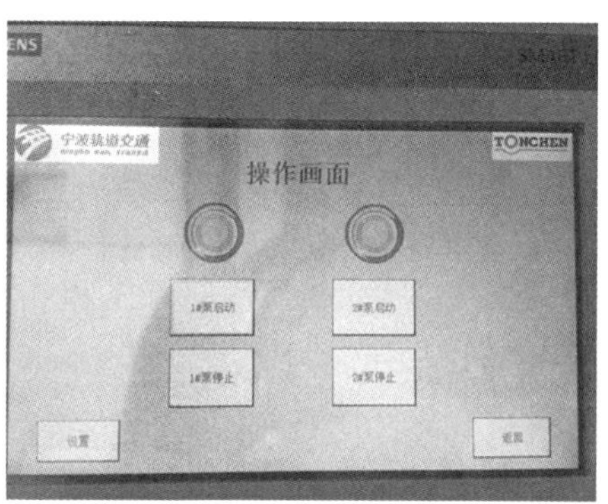

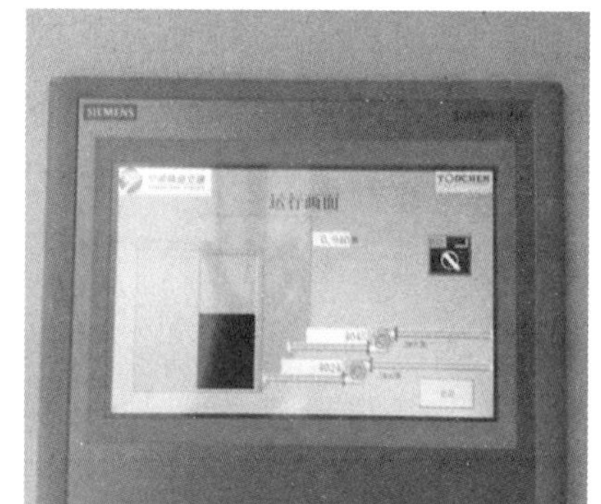

图 7-3 水泵控制箱触摸屏

图 7-4 消防泵控制箱

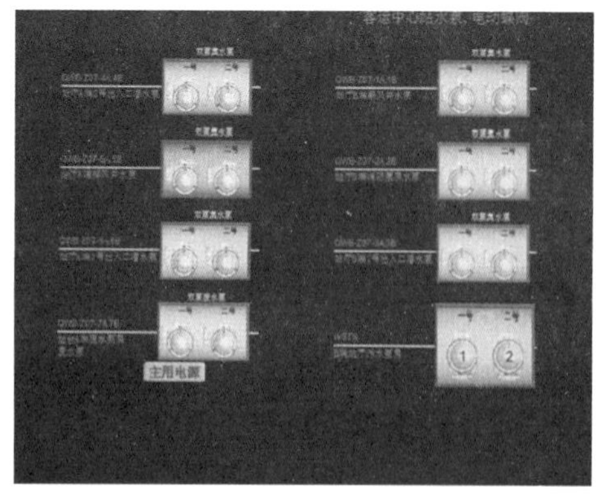

(a)

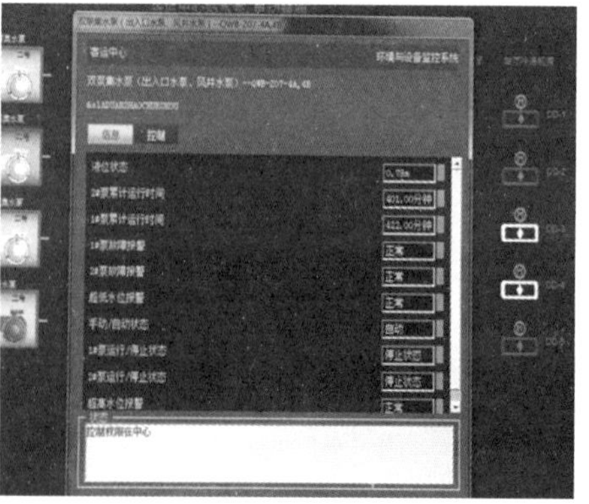

(b)

图 7-5 BAS 操作界面图

二、元器件介绍

（一）液位计

在容器中，液体介质的高低叫做液位，测量液位的仪表叫液位计。液位计为物位仪表的一种。

液位计的类型有音叉振动式、磁浮式、压力式、超声波、声呐波、磁翻板、雷达等。

超声波液位计是由微处理器控制的数字液位仪表。在测量中，超声波脉冲由传感器（换能器）发出，声波经液体表面反射后被同一传感器接收或超声波接收器，通过压电晶体或磁致伸缩器件转换成电信号，并由声波的发射和接收之间的时间来计算传感器到被测液体表面的距离。由于采用非接触的测量，被测介质几乎不受限制，可广泛用于各种液体和固体物料高度的测量。

浮球开关是一种结构简单、使用方便、安全可靠的液位控制器件，它比一般机械开关体积小、速度快、工作寿命长，与电子开关相比，它又具有抗负载冲击能力强的特点，其在造船、造纸、印刷、发电机设备、石油化工、食品工业、水处理、电工、染料工业、油压机械等方面都得到了广泛的应用。

在密闭的非导磁性管内安装有一个或多个干簧管，然后将此管穿过一个或多个中空且内部有环形磁铁的浮球，液体的上升或下降将带动浮球一期上下移动，从而使该非导磁性管内的干簧管产生吸合或断开的动作，输出一个开关信号。

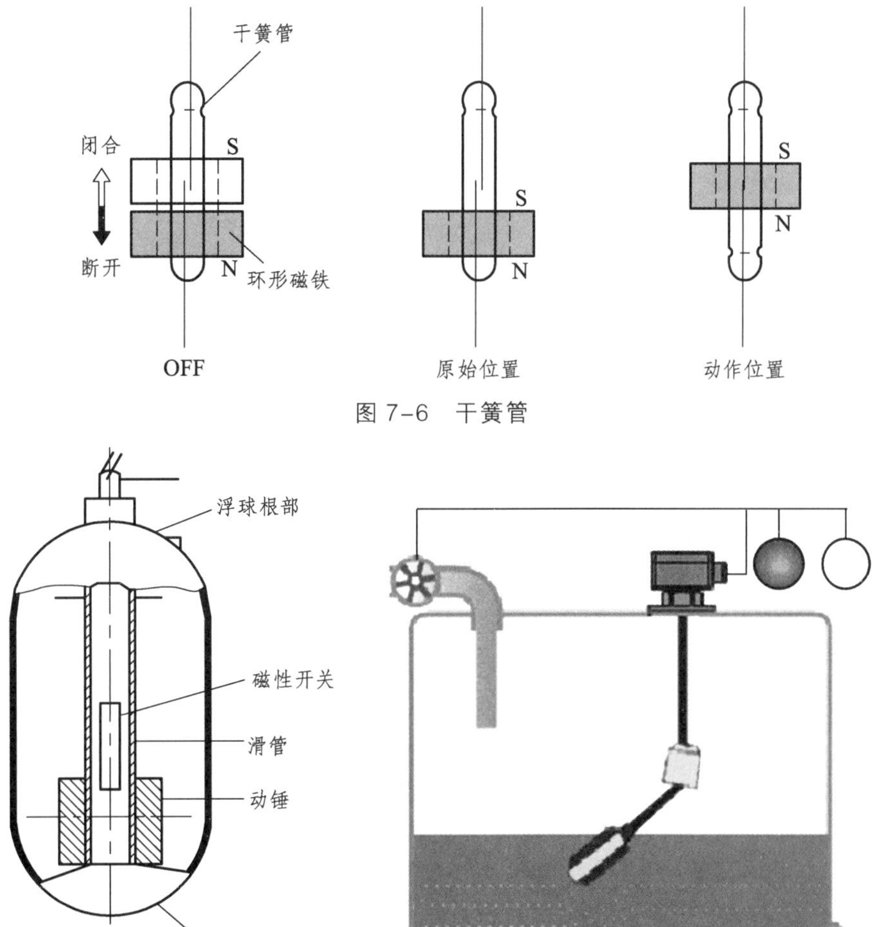

图 7–6　干簧管

图 7–7　浮球阀

（二）接触器

1. 接触器概述

接触器是一种用来自动接通或断开大电流电路的电器。它可以频繁地接通或分断交直流电路，并可实现远距离控制。其主要控制对象是电动机，也可用于电热设备、电焊机、电容器组等其他负载。它还具有低电压释放保护功能，接触器具有控制容量大、过载能力强、寿命长、设备简单经济等特点，是电力拖动自动控制线路中使用最广泛的电器元件。

2. 接触器分类

按照所控制电路的种类不同，接触器可分为交流接触器和直流接触器两大类。

1）交流接触器

交流接触器的外形与结构示意图如图 7-8 所示。

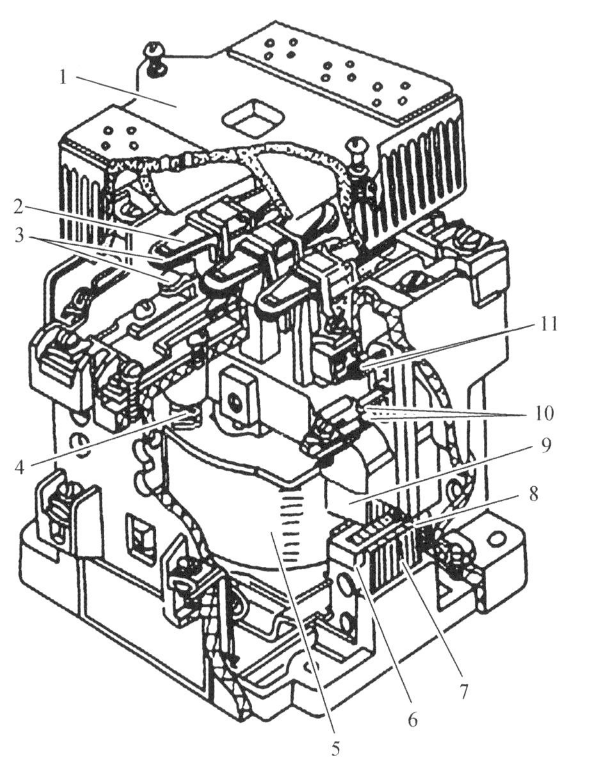

1—灭弧罩；
2—触点压力弹簧片；
3—主触点；
4—反作用弹簧；
5—线圈；
6—短路环；
7—静铁心；
8—弹簧；
9—动铁心；
10—辅助常开触点；
11—辅助常闭触点

图 7-8　交流接触器结构及部件

交流接触器由以下四部分组成。

（1）电磁机构：电磁机构由线圈、动铁心（衔铁）和静铁心组成，其作用是将电磁能转换成机械能，产生电磁吸力带动触点动作。

（2）触点系统：包括主触点和辅助触点。主触点用于通断主电路，通常为三对常开触点。辅助触点用于控制电路，起电气联锁作用，故又称联锁触点，一般常开、常闭各两对。

（3）灭弧装置：容量在 10A 以上的接触器都有灭弧装置，对于小容量的接触器，常采用双断口触点灭弧、电动力灭弧、相间弧板隔弧及陶土灭弧罩灭弧。对于大容量的接触器，采用纵缝灭弧罩及栅片灭弧。

（4）其他部件：包括反作用弹簧、缓冲弹簧、触点压力弹簧、传动机构及外壳等。

线圈通电后，在铁心中产生磁通及电磁吸力。此电磁吸力克服弹簧反力使得衔铁吸合，带动触点机构动作，常闭触点打开，常开触点闭合，互锁或接通线路。线圈失电或线圈两端电压显著降低时，电磁吸力小于弹簧反力，使得衔铁释放，触点机构复位，断开线路或解除互锁。

2）直流接触器

直流接触器的结构和工作原理基本上与交流接触器相同。其在结构上也是由电磁机构、触点系统和灭弧装置等部分组成。由于直流电弧比交流电弧难熄灭，因此直流接触器常采用磁吹式灭弧装置灭弧。

3. 接触器的符号与型号说明

接触器的图形符号如图 7-9 所示，文字符号为 KM。

辅助触点一般就在接触器的正上方，NO 指常开，NC 指常闭，一般辅助触点不够用的话，还可以拼装辅助触点模块，可以正装或侧装。

接触器内置 1 个常闭和 1 个常开瞬动辅助触点，可添加全系列的通用附加模块，最多构成 4 个 NC 或 NO，如图 7-10 所示。

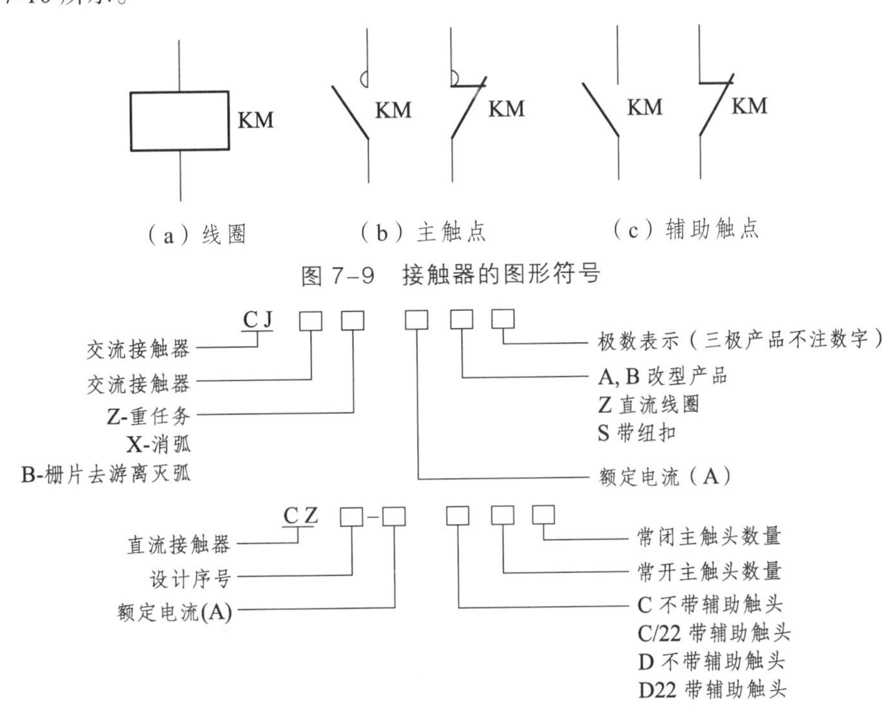

图 7-9　接触器的图形符号

图 7-10　接触器型号

（三）热继电器

热继电器（FR）主要用于电力拖动系统中电动机负载的过载保护。

电动机在实际运行中，常会遇到过载情况，但只要过载不严重、时间短，绕组不超过允许的温升，这种过载是允许的。但如果过载情况严重、时间长，则会加速电动机绝缘的老化，缩短电动机的使用年限，甚至烧毁电动机，因此必须对电动机进行过载保护。

（1）继电器结构与工作原理：热继电器主要由热元件、双金属片和触点组成，如图 7-11 所示，热元件由发热电阻丝做成。双金属片由两种热膨胀系数不同的金属辗压而成，当双金属片受热时，会出现弯曲变形。热继电器的图形及文字符号如图 7-12 所示。

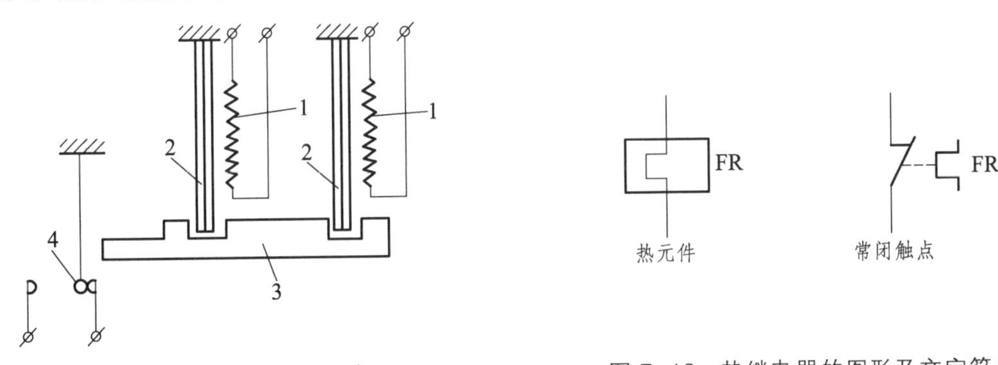

图 7-11　热继电器原理示意图

1—热元件；2—双金属片；3—导板；4—触点复位

图 7-12　热继电器的图形及文字符号

（2）使用时，把热元件串接于电动机的主电路中，而常闭触点串接于电动机的控制电路中。当电动机正常运行时，热元件产生的热量虽能使双金属片弯曲，但还不足以使热继电器的触点动作。当电动机过载时，双金属片弯曲位移增大，推动导板使常闭触点断开，从而切断电动机控制电路以起到保护作用。热继电器动作后一般不能自动复位，要等双金属片冷却后按下复位按钮复位。热继电器动作电流的调节可以借助旋转凸轮于不同位置来实现。

（四）中间继电器

中间继电器用于继电保护与自动控制系统中，以增加触点的数量及容量。它用于在控制电路中传递中间信号。中间继电器的结构和原理与交流接触器基本相同，与接触器的主要区别在于：接触器的主触头可以通过大电流，而中间继电器的触头只能通过小电流。所以，它只能用于控制电路中。它一般是没有主触点的，因为过载能力比较小。所以它用的全部都是辅助触头，数量比较多。新国标对中间继电器的定义是 K，老国标是 KA。一般是直流电源供电。少数使用交流供电。

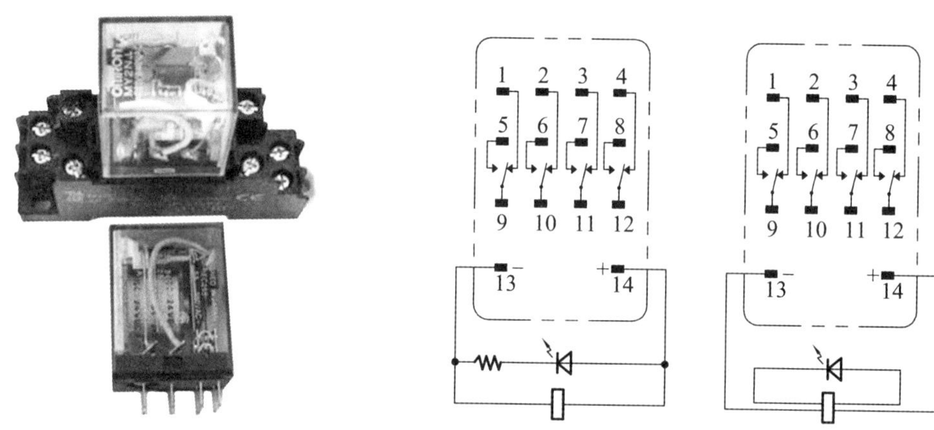

图 7-13 中间继电器

（五）低压断路器

低压断路器又称自动空气开关或自动空气断路器，简称断路器。它是一种既有手动开关作用，又能自动进行失压、欠压、过载和短路保护的电器。它可用来分配电能，不频繁地启动异步电动机，对电源线路及电动机等实行保护，当它们发生严重的过载或短路及欠压等故障时能自动切断电路，其功能相当于熔断器式开关与过欠热继电器等组合。其结构组成如图 7-14 所示。

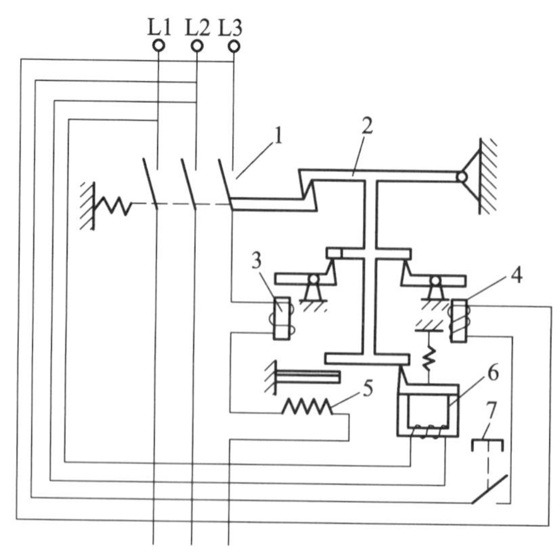

图 7-14 低压断路器结构图

1—主触点；2—自由脱扣机构；3—过电流脱扣器；4—分励脱扣器；5—热脱扣器；6—欠电压脱扣器；7—停止按钮

低压断路器的主触点通过手动操作或电动合闸后，自由脱扣机构将主触点锁在合闸位置上。过电流脱扣器的线圈和热脱扣器的热元件与主电路串联，欠电压脱扣器的线圈和电源并联。

当电路发生短路或严重过载时，过电流脱扣器的衔铁吸合，使自由脱扣机构动作，主触点断开主电路。

当电路过载时，热脱扣器的热元件发热使双金属片上弯曲，推动自由脱扣机构动作。

当电路欠电压时，欠电压脱扣器的衔铁释放，也使自由脱扣机构动作。分励脱扣器则作为远距离控制用，在正常工作时，其线圈是断电的，在需要距离控制时，按下启动按钮，使线圈通电，衔铁带动自由脱扣机构动作，使主触点断开。

报警触头：这种辅助触头只在断路器发生故障（过电流，短路，过载）跳闸时动作，把故障信号传出去，有的还有记忆功能，在普通分闸操作时不动作，用于判断断路器是否因故障而跳闸。

分励线圈：就是分闸的励磁线圈，在做远程分闸时使用，开关在合闸位置时，给分励线圈一个额定的电压信号，开关会跳至分闸位置；分励脱扣器是短时工作制，其中的分线圈通电时间一般不能超过 1 s，否则线圈会被烧断。

辅助触头：在断路器动作时动作，即关、合两个动作。

热磁保护指的是热保护和磁保护，热保护就是过载保护，磁保护就是短路保护。

例如，断路器过载、跳闸、报警触头动作，信号灯亮或警铃响，值班人员马上知道有故障，及时检修。而辅助触头只能告诉值班人员，断路器断开了，但不知道为什么断开，是被人关了，还是故障跳闸。

（六）熔断器

熔断器是根据电流超过规定值一段时间后，以其自身产生的热量使熔体熔化，从而使电路断开，运用这种原理制成的一种电流保护器。熔断器广泛应用于高低压配电系统和控制系统及用电设备中，作为短路和过电流的保护器，是应用最普遍的保护器件之一。

熔断器主要由熔体、外壳和支座 3 部分组成，如图 7-15 所示。其中熔体是控制熔断特性的关键元件。熔体的材料、尺寸和形状决定了熔断特性。熔体材料分为低熔点和高熔点两类。低熔点材料如铅和铅合金，其熔点低容易熔断，由于其电阻率较大，故制成熔体的截面尺寸较大，熔断时产生的金属蒸气较多，只适用于低分断能力的熔断器。高熔点材料如铜、银，其熔点高，不容易熔断，但由于其电阻率较低，可制成比低熔点熔体小的截面尺寸，熔断时产生的金属蒸气少，适用于高分断能力的熔断器。熔体的形状分为丝状和带状两种。改变变截面的形状可显著改变熔断器的熔断特性。

熔断器具有反时延特性，即过载电流小时，熔断时间长；过载电流大时，熔断时间短。所以，在一定过载电流范围内，当电流恢复正常时，熔断器不会熔断，可继续使用。图 7-16 所示为熔断器和熔芯。

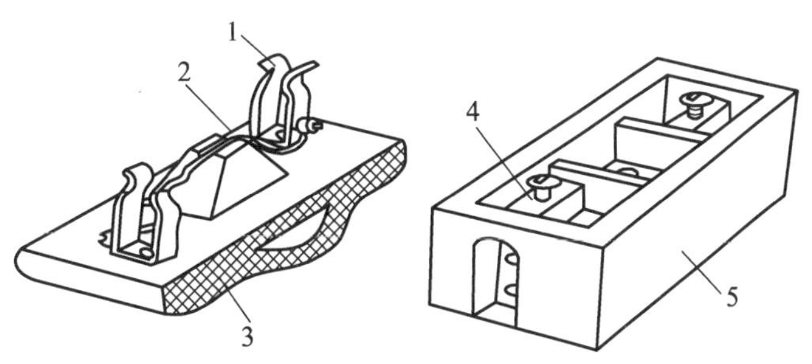

图 7-15　熔断器结构图

1—动触头；2—熔丝；3—瓷盖；4—静触头；5—瓷座

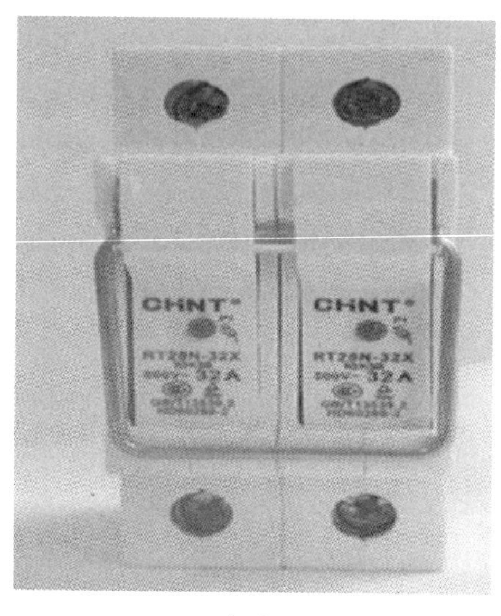

(a)

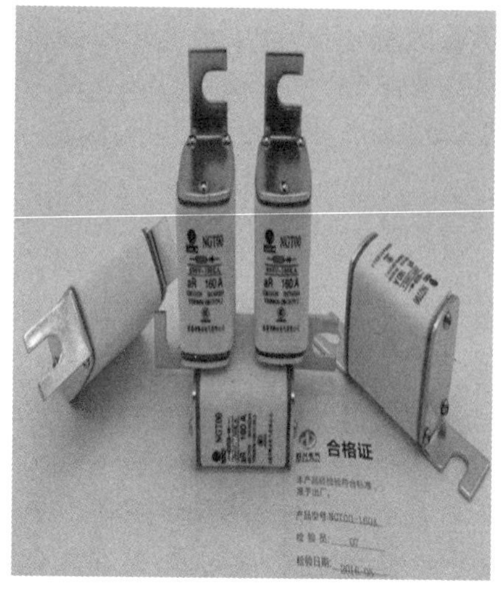

(b)

图 7-16 熔断器、熔芯

（七）负荷开关

一般装有简单的灭弧装置，但其结构比较简单。负荷开关是介于断路器和隔离开关之间的一种开关电器，具有简单的灭弧装置，能切断额定负荷电流和一定的过载电流，但不能切断短路电流。

低压负荷开关又称开关熔断器组。适于交流工频电路中，以手动不频繁地通断有载电路，也可用于线路的过载与短路保护。通断电路由触刀完成，过载与短路保护由熔断器完成。

（八）模拟量扩展模块

模拟量输入模块是一款将远程现场的模拟量信号采集至计算机的设备，其利用 RS-485 总线作为数据通信线路，提供模拟量转 485 功能，能够同时将八路模拟量输入至模块，并通过 RS-485 总线传输至计算机。由于采用 RS-485 接口作为通信接口，其能够由多个模块组合传输更多路数模拟量信号，并且能够在 485 线路上分散配置，采用地址码进行区分，可以直接接入 MODBUS RTU 协议的组态软件。

模拟量表示在一定范围内连续变化的任意取值，跟数字量是相对立的一个状态表示。通常模拟量用于采集和表示事物的电压、电流或频率等参数。模拟量输入模块是一款可以采集模拟量（如电压、电流、热电偶、热电阻、温度等数值）通过 485 总线传输到电脑上的智能模块。其通信协议采用 MODBUS RTU 协议，与工业现场数据采集实现了统一对接，编程起来也很方便。

（九）可编程控制器

可编程控制器是一种数字运算操作的电子系统，专门在工业环境下应用而设计。它采用可以编制程序的存储器，用来执行存储逻辑运算和顺序控制、定时、计数和算术运算等操作的指令，并通过数字或模拟的输入（I）和输出（O）接口，控制各种类型的机械设备或生产过程。

（十）转换开关

转换开关的接触系统由数个装嵌在绝缘壳体内的静触头和可动支架中的动触头构成。动触头是双断点对接式的触桥，在附有手柄的转轴上，随转轴旋至不同位置使电路接通或断开。

（十一）消防自动巡检柜

消防自动巡检柜，又称消防智能数字巡检装置。该装置可以起到防止消防水泵锈蚀、受潮、水泵动作不正常等故障的作用，确实做到“养兵千日，用兵一时”的目的。

根据公安部消防安全行业标准 GA30.2《固定消防给水设备的性能要求和试验方法》的规定，为防止消防水泵锈蚀、受潮、水泵动作不正常等故障，确实达到“养兵一日，用兵一时”的目的，消防水泵必须加装自动巡检装置。巡检为低频巡检，巡检时电机转速为 300 转/min，水系统不增压、无启动电流，极大地延长了设备的使用寿命。此巡检方式安全性高、低电流、低功耗，是唯一符合标准要求的公安部行业标准的巡检方式。

（1）自动巡检装置控制功能：完成对消防泵、喷淋泵的低频和喷雾泵低速自运巡检控制，巡检周期 24 h，每次巡检单泵巡检时间为 10 min，巡检周期及巡检时间亦可根据实际要求从几分钟到几天任意调整。消防发生时，可编程控制器接到消防命令后自动瞬时停止巡检，启动消防泵，消防结束手动关机。

（2）设备具有声、光报警及故障记忆功能，操作为中文菜单，清晰易懂，可记忆短路、缺相、过流、过电压、欠电压、通讯等故障，便于运行人员检修操作。

（3）巡检时发生消防会立即停止巡检，瞬时启动消防泵。

（4）功能齐全可完成消防主回路及消防水泵的低速无压巡检。

（5）具有过电压、过电流、短路、缺相等保护。

（6）巡检时发生故障自动巡检装置会发生声光报警，具有数据记忆功能可完成对故障时的瞬态参数记忆，便于维修、分析。

（7）可通过界面显示巡检运行参数。（自选）

（8）具有上位电话报警功能。（自选）

（9）设备预留 RS485 通信接口，可完成对楼宇自控的运行状态远传。（自选）

（10）具有巡检时故障参数打印功能。（自选）

（十二）电接点压力表

电接点压力表由测量系统、指示系统、磁助电接点装置、外壳、调整装置和接线盒（插头座）等组成。一般电接点压力表是用于测量对铜和铜合金不起腐蚀作用的气体、液体介质的正负压力，不锈钢电接点压力表用于测量对不锈钢不起腐蚀作用的气体、液体介质的正负压力，并在压力达到预定值时发出信号，接通控制电路，达到自动控制的报警目的。

电接点压力表基于测量系统中的弹簧管在被测介质的压力作用下，迫使弹簧管之末端产生相应的弹性变形——位移，借助拉杆经齿轮传动机构的传动并放大，由固定齿轮上的指示（连同触头）逐步将被测值在度盘上指示出来。与此同时，当其与设定指针上的触头（上限或下限）相接触（动断或动合）的瞬时，致使控制系统中的电路得以断开或接通，以达到自动控制和发信报警的目的。

电接点压力表过早或过晚发生信号：表示触点位置不正或触点金属杆松动。触点位置不正，将触点校正垂直到恰当发生信号为止。触点金属杆松动，应设法固牢，较轻微者，采用适当放大游丝、增加游丝的反力矩，也有效果。

电接点装置不发生信号：触点太脏接触不良；信号装置绝缘层受潮；电路不通等；触点太脏，用砂纸打磨除去污物；绝缘层受潮，用热风吹干；电路不通，应查找断路并予以修理。

（十三）马达保护器

马达保护器（又名电动机保护器）的作用是给电动机全面的保护，在电动机出现超时启动、过流、欠流、断相、堵转、短路、过压、欠压、漏电（接地）、三相不平衡、过热、轴承磨损、定转子偏心、外部故障、来电自启动、反时限时，予以报警或保护的装置。

马达电机因电性原因出现过负荷、缺相、层间短路及线间短路、线圈的接地漏电、瞬间过电压的流入等造成损坏，或者是由于机械原因，如堵转、电机转动体遇到固体时，因轴承磨损或润滑油缺乏出现热传导现象，损坏电机。由于非正常运行或停止或损坏，会造成生产损失或停止时间内产生的人力损失无法与电机本身更换的费用相提并论，其损失巨大，那么我们就需要对电机进行有效的保护，以便保证生产的正常运行。

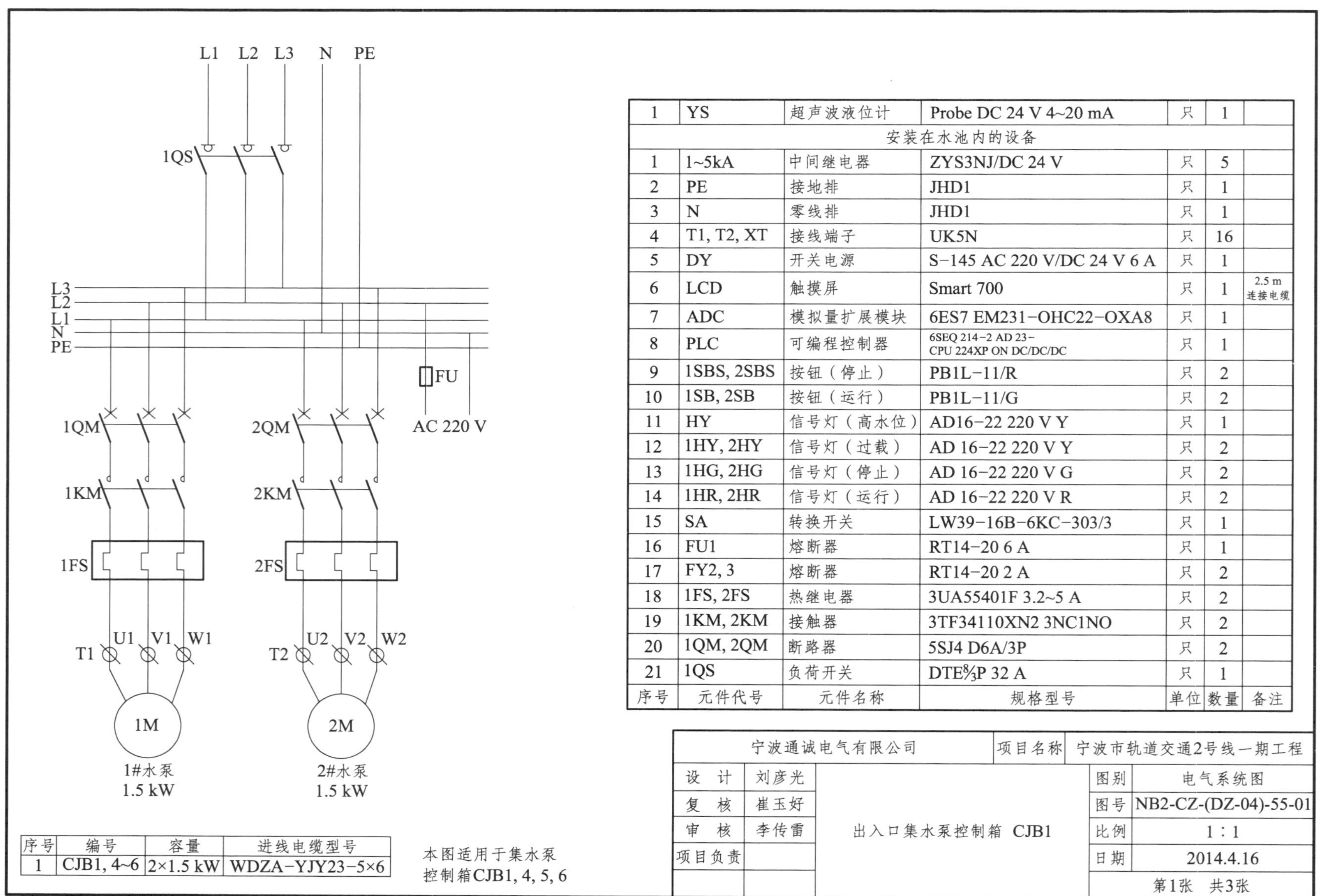

序号	元件代号	元件名称	规格型号	单位	数量	备注
1	YS	超声波液位计	Probe DC 24 V 4~20 mA	只	1	
安装在水池内的设备						
1	1~5kA	中间继电器	ZYS3NJ/DC 24 V	只	5	
2	PE	接地排	JHD1	只	1	
3	N	零线排	JHD1	只	1	
4	T1, T2, XT	接线端子	UK5N	只	16	
5	DY	开关电源	S−145 AC 220 V/DC 24 V 6 A	只	1	
6	LCD	触摸屏	Smart 700	只	1	2.5 m 连接电缆
7	ADC	模拟量扩展模块	6ES7 EM231−OHC22−OXA8	只	1	
8	PLC	可编程控制器	6SEQ 214−2 AD 23− CPU 224XP ON DC/DC/DC	只	1	
9	1SBS, 2SBS	按钮（停止）	PB1L−11/R	只	2	
10	1SB, 2SB	按钮（运行）	PB1L−11/G	只	2	
11	HY	信号灯（高水位）	AD16−22 220 V Y	只	1	
12	1HY, 2HY	信号灯（过载）	AD 16−22 220 V Y	只	2	
13	1HG, 2HG	信号灯（停止）	AD 16−22 220 V G	只	2	
14	1HR, 2HR	信号灯（运行）	AD 16−22 220 V R	只	2	
15	SA	转换开关	LW39−16B−6KC−303/3	只	1	
16	FU1	熔断器	RT14−20 6 A	只	1	
17	FY2, 3	熔断器	RT14−20 2 A	只	2	
18	1FS, 2FS	热继电器	3UA55401F 3.2~5 A	只	2	
19	1KM, 2KM	接触器	3TF34110XN2 3NC1NO	只	2	
20	1QM, 2QM	断路器	5SJ4 D6A/3P	只	2	
21	1QS	负荷开关	DTE8/3P 32 A	只	1	

宁波通诚电气有限公司		项目名称	宁波市轨道交通2号线一期工程
设 计	刘彦光	图别	电气系统图
复 核	崔玉好	图号	NB2-CZ-(DZ-04)-55-01
审 核	李传雷	比例	1 : 1
项目负责		日期	2014.4.16
出入口集水泵控制箱 CJB1			第1张 共3张

序号	编号	容量	进线电缆型号
1	CJB1, 4~6	2×1.5 kW	WDZA−YJY23−5×6

本图适用于集水泵控制箱CJB1, 4, 5, 6

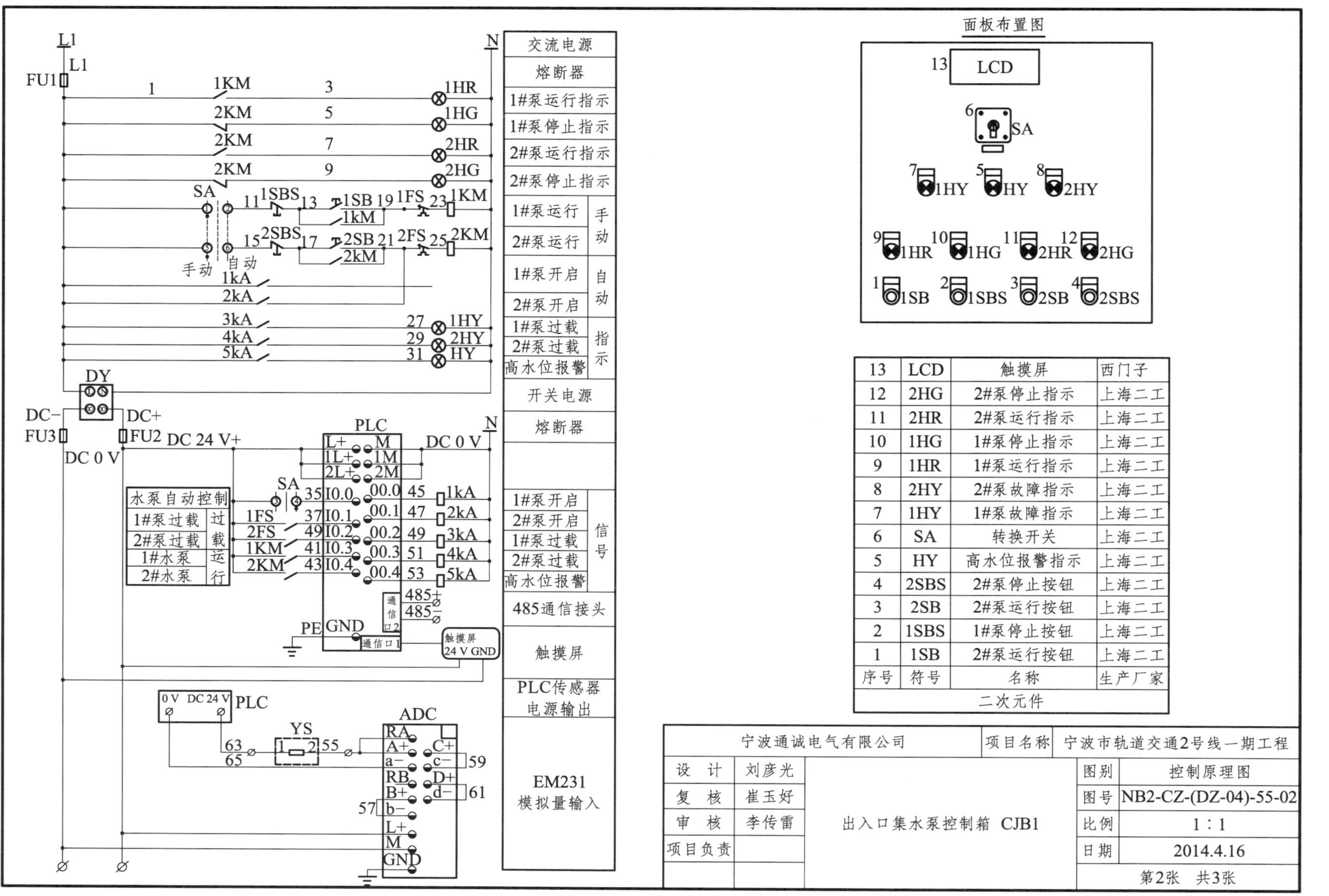
面板布置图
LCD
SA
1HY HY 2HY
1HR 1HG 2HR 2HG
1SB 1SBS 2SB 2SBS
序号	符号	名称	生产厂家
1	1SB	2#泵运行按钮	上海二工
2	1SBS	1#泵停止按钮	上海二工
3	2SB	2#泵运行按钮	上海二工
4	2SBS	2#泵停止按钮	上海二工
5	HY	高水位报警指示	上海二工
6	SA	转换开关	上海二工
7	1HY	1#泵故障指示	上海二工
8	2HY	2#泵故障指示	上海二工
9	1HR	1#泵运行指示	上海二工
10	1HG	1#泵停止指示	上海二工
11	2HR	2#泵运行指示	上海二工
12	2HG	2#泵停止指示	上海二工
13	LCD	触摸屏	西门子
二次元件
宁波通诚电气有限公司
项目名称 宁波市轨道交通2号线一期工程
设计 刘彦光
复核 崔玉好
审核 李传雷
项目负责
出入口集水泵控制箱 CJB1
图别 控制原理图
图号 NB2-CZ-(DZ-04)-55-02
比例 1:1
日期 2014.4.16
第2张 共3张
交流电源
熔断器
1#泵运行指示
1#泵停止指示
2#泵运行指示
2#泵停止指示
1#泵运行 2#泵运行 手动
1#泵开启 2#泵开启 自动
1#泵过载 2#泵过载 高水位报警 指示
开关电源
熔断器
1#泵开启 2#泵开启 1#泵过载 2#泵过载 高水位报警 信号
485通信接头
触摸屏
PLC传感器电源输出
EM231 模拟量输入
水泵自动控制 1#泵过载 2#泵过载 1#水泵运行 2#水泵运行
L1 N FU1 FU2 FU3 DY DC+ DC− DC 24 V+ DC 0 V
PLC ADC YS SA 手动 自动 PE GND

说明：

1. 集水泵控制箱要求带PLC控制：

两台集水泵平时一用一备，必要时同时使用的控制，其中包括手动盒自动控制。在手动控制中，通过操作泵1、泵2各自的控制按钮来实现泵的启动、运行和停止。在自动控制，两台泵互为备用，轮换运行。

（1）当水位低于停泵水位时，不启动热河一台泵。

（2）当水位上升到第一开泵水位时，启动一台泵运行。当该泵故障时，送出报警信号同时自动延时切换到另一台泵运行。

（3）当水位上升到第二开泵水位时，启动另一台泵运行，即两台泵同时运行。

（4）当水位上升到高水位时，送出报警信号。

在自动程序运行过程中，程序进行各种故障的监测，出现故障及时报警。

给超声波液位计提供电源并接收超声波液位计4~20 mA的液位信号。

2. ISCS的遥控信息：泵的启动和停止控制。

需遥信给ISCS的信息：液位计状态、手动/自动位置、水泵运行状态、各电机的累计运行时间、过载荷高水位、故障脱扣报警信号。

PLC：与ISCS以总线方式连接，ISCS通过通信接口实现对水泵的遥控和遥信。

3. 通信口味RS485，通信协议必须是PROFIBUS DP、MODBUS、DEVICENET中的一种。

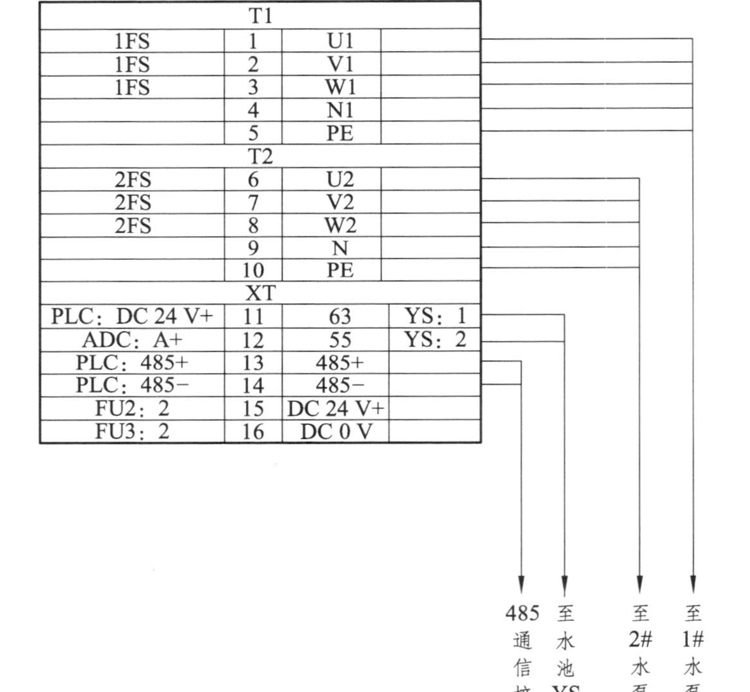

触点 \ 定位特征	手动 60°	停 0°	自动 60°
1–2	×		
3–4			×
5–6	×		
7–8			×
9–10	×		
11–12			×

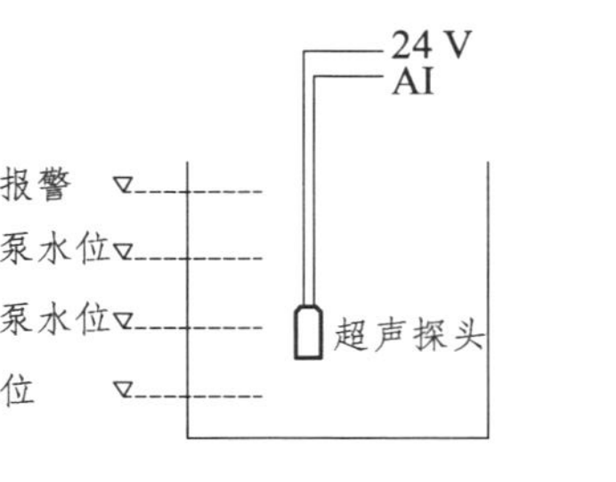

宁波通诚电气有限公司		项目名称	宁波市轨道交通2号线一期工程	
设　计	刘彦光	出入口集水泵控制箱 CJB1	图别	端子接线图
复　核	崔玉好		图号	NB2-CZ-(DZ-04)-55-03
审　核	李传雷		比例	1：1
项目负责			日期	2014.4.16
			第3张　共3张	

对于因电性原因出现的故障，无论是过电流还是过电压，其主要是因为电流瞬间增大，超过了电机的负载电流值而造成损坏。马达保护器根据这一原理，通过监测电机的两相（三相）线路的电流值变化，进行电机的保护，对于过电压、低电压，是通过检测电机相间的电压变化，进行电机的保护。

马达保护器的基本原理及工作过程：传感器将电动机的电流变化线性地反映至保护器的采样端口，经过整流、滤波等环节后，转换成与电动机电流成正比的直流电压信号、送到相应部分与给定的保护参数进行比较处理，再经单片机回路处理，推动功率回路，使继电器动作。

当电机由于驱动部分过载导致电流增大时，从电流传感器取得的电压信号将增大，此电压值大于保护器的整定值时，过载回路工作，RC 延时电路经过一定的（可调）延时，驱动出口继电器动作，使接触器切断主回路。欠压及缺相保护等功能部分，工作原理基本相同。

（1）过负载和过电流的保护。

（2）缺相保护。

（3）逆相保护。

（4）接地漏电保护。

（5）堵转保护。

（6）相不平衡保护。

（7）短路保护。

（8）过电压保护。

（9）低电压保护。

（10）过热保护。

（11）缺电流保护。

对于新型号系列的马达保护器，增加了马达过热保护和通讯功能，在控制室可以通过控制软件进行 0 ~ 254 的节点上的马达保护器进行远程设置与监测控制。

任务实施

水泵控制箱的日常维护主要包括周巡检、季保养、年保养。

一、周巡检

（1）检查控制箱箱体和箱门是否变形，箱门是否关好。

（2）各转换开关位置是否正确（手自动转换开关打在自动位），双电源切换箱是否正常（如在备用电位置，检查主用电情况），检查指示灯指示是否正确。

（3）液位计显示、功能情况与集水池水位是否一致。

（4）如实做好巡检记录，留意以前的记录是否完整无误。

（5）箱门锁正常，箱体清洁。

（6）水泵周围环境、设备房的清洁，离开时确认泵房门、窗已关好。

（7）液位计状态，如有 2 个液位计，须对两个液位计读数进行对比，如超出 10 cm 则须进行跟踪，每日观察。

（8）手动/自动位置，是否在自动位。

（9）水泵运行状态，是否正常。

（10）各电机的累积运行时间。

（11）各故障报警信号（超高/超低水位、马保），是否正常，如有故障及时处理。

（12）双电源的状态信号，是否正常，如在备用电位置，则检查主电源情况。

二、季保养

（1）双电源切换功能试验（如有）。
（2）箱体内外清洁。
（3）试验漏电保护器是否有效。
（4）检查箱内元器件是否有发热痕迹，是否有异响。
（5）检查是否有断路器跳闸，如有，则在具备试合条件后，试合闸一次，试合不成功则报故障维修。
（6）检查柜内 PLC 控制器、软启动器、变频器是否正常运行（如有）。
（7）检查指示灯、开关、按钮、电缆（导线）等元器件标识是否齐全完好，修补完善标识。
（8）检查箱体及元器件是否破损、安装松动，安装紧固；线路绑扎、整理。
（9）检查转换开关转动是否灵活可靠。
（10）主、控回路接线紧固，各接线端子、液位计接线紧固，有无发热、破损等。
（11）检查断路器整定值设置是否正确。
（12）电机接线端子的紧固。

三、年保养

（1）包含上一级保养。
（2）检查所有螺丝螺母的锈蚀程度是否影响使用，若影响则必须进行更换或防腐。
（3）能否实现设计控制功能。

表 7-1　常见故障分析及处理方法指引

故障现象	原因分析	处理方法
开关跳闸	开关本体故障	查核开关本体是否受损，如已受损则应修复或更换
	负载设备或线路故障	查核负载设备是否有故障，量测负载设备及线路绝缘
	开关参数设定有误	查核开关额定电流值与开关实际负载电流值是否匹配，如不匹配则更换开关或调整负载
	开关选择容量偏小	查核开关整定值（长延时倍数与动作时间、短延时倍数与动作时间、瞬动倍数与动作时间）与开关实际负载电流值及上下级开关是否匹配，如不匹配则调整整定值
	开关受潮	用热风枪吹干后恢复
PLC 故障报警	失电	检查 PLC 供电电源
	I/O 模块故障	更换 I/O 模块
	电源模块故障	检查电源模块输入电压和输出电压，如有输入电压无输出电压，更换电源模块
	程序丢失	重新输入程序或交厂家维修
漏电保护器跳电	线路故障	检查负荷线路，排除故障后恢复
	漏电保护器本体故障	更换漏电保护器
	箱体内潮湿	用热风枪吹干后恢复
变频器报警	过压故障	检查母线电压，检查变频器参数设定
	参数丢失	更换，返厂家维修
有烟雾或烧糊异味	一次导体连接处未紧固	立即断电维修紧固连接处

根据以上学习内容，评价自己对本任务内容的掌握程度，在下表相应空格里打“√”。

评价内容	差	合格	良好	优秀
对水泵控制箱系统结构、功能、工作原理等的掌握程度				
对水泵控制箱系统保养维护流程的掌握程度				
学习中存在的问题或感悟				

任务二　水泵控制箱故障案例

一、故障概况

（1）设备名称或型号：水泵控制箱、元器件。

（2）故障类型或现象：控制箱面板指示灯熄灭、潜水泵无法自动运行。

（3）故障影响程度与等级：如水泵控制箱出现故障，将导致潜水泵无法自动运行，相关区域的结构渗漏水及雨水无法强排至站外，严重时将直接造成轨行区积水、出入口扶梯停运、设备区积水等，给轨道交通带来严重的行车或客运服务影响。

二、故障处理经过简介

（一）信息获得

某日，站务报火车站 A 口电扶梯停运，电扶梯维修人员赶赴现场，当打开扶梯检修盖板时发现该扶梯基坑遭水淹，相关设备已损坏，立即通知给排水专业赶赴现场。

（二）先期故障判断及准备内容

超声波液位仪故障、水泵控制箱控制回路熔断器损坏，接触器或其他相关元器件损坏。

（三）故障现象确认及初步诊断

给排水人员到达现场，在站务的配合下对相关区域进行封锁，打开积水池盖板发现池内积水已没过扶梯基坑，打开伪装门对控制箱进行检查，控制箱面板指示灯全部熄灭，控制屏熄灭，手动也不能起泵。

（四）故障实际查找过程及确认

（1）在车控室进行请点作业，并向调度请点。

（2）在站务的配合下对相关区域进行封锁，打开集水池盖板及伪装门对集水池及控制箱进行查看。

（3）积水池内积水已经没过扶梯基坑，水泵控制箱面板指示灯及触摸屏全部熄灭，并且无法手动操作。

（五）故障排除方法及结果

（1）用钳形表对控制箱内元器件进行测量，发现进线电源电压正常，也未缺相；测量到控制回路熔断器的时候发现 220 V 控制回路的熔断器烧毁，对熔断器进行更换，控制箱面板指示灯及触摸屏重新启动；手动挡对该积水池进行抽水。

（2）水抽到一半时，1 泵热继电器动作，2 泵正常运行，待水池内水抽完后将 1 泵拉出，发现 1 泵叶轮已被石子卡死，池内石子、杂物较多。

（3）对该积水池内两台水泵进行解体清理，对该集水池进行清坑。

（4）集水池注满水，水泵切换至自动位，水泵启动，当水泵到达停泵水位后水泵停止；车控室销点，并汇报调度故障已解除，不影响行车及客运服务。

三、原因分析

（1）集水池投入运行前未对池底进行彻底清理。

（2）巡检不到位，未及时定期对该水泵进行巡检保养。

四、案例处理优化分析

按时定期对潜水泵组进行巡检及保养，落实到位，落实到人。

五、专家提示

（1）如果遇到类似情况，给排水维修员须第一时间赶赴现场，对故障进行处理，如不能马上处理，应用临时排水设施对池内积水进行排出，避免事故扩大。

（2）如遇控制箱故障，则应先查主回路的电源是否导通，电压是否正常、是否缺相，检查顺序是开关→接触器→热继电器→电机；控制回路，“启、保、停”（启动、保持、停止）。逐个按钮按下去，检查是否正常，如果正常就检查下一步，如果不正常，使用万能表检查电路，根据原理图查出原因：线路故障（断线、破皮、端头松动等）、元件故障（继电器接触器的常开常闭触点是否能可靠吸合或断开，线圈是否动作正常，接触器是否进灰，热继电器是否发热等）。

六、预防措施

对站内集水池、集水泵进行全面检查，确保设备设施工作在一个正常、安全的环境中，同时加强对潜水泵组的巡检及保养工作。

七、思考题

如果让你去处理该故障，你会怎么做？能否安全顺利地处理完相关故障？对于控制箱，你觉得自己还欠缺哪些知识？

模块训练

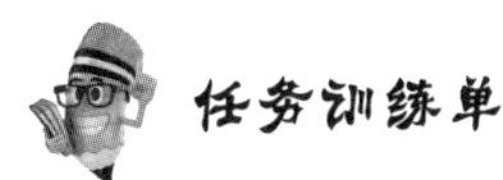

班级：　　　　　　　　姓名：　　　　　　　　训练时间：

任务训练单	突发事件处理相关作业
任务目标	掌握水泵控制箱的操作流程，能对水泵控制箱进行操作，能对水泵控制箱进行日常巡检、维护保养及处理常见的故障
任务训练	请从下列任务中选择其中的两个进行训练：车站请销点、设备的操作、设备的保养、常见故障的处理
任务训练一 （说明：总结车站请销点、设备的操作、日常巡检及维护保养、处理常见故障作业流程，并进行实操练习）	
任务训练二 （说明：总结日常巡检及维护保养、处理常见故障作业流程，并进行实操练习）	
任务训练的其他说明或建议：	
指导老师评语：	
任务完成人签字：　　　　日期：　　年　　月　　日 指导老师签字：　　　　日期：　　年　　月　　日	

模块小结

本模块讲述了水泵控制箱的用途及主要组成元器件的工作原理、结构形式，水泵控制箱的操作方法及操作流程。

同时，本模块介绍了水泵控制箱（周巡检、季保养、年保养）的巡检保养项目，以及常见故障的处理方法。模块中对于这些常见故障给出了相关的处理案例。

模块自测

一、填空题

1. 控制箱的控制类型分为（　　　　）、（　　　　）、（　　　　）和（　　　　）。

2. 水泵控制箱主要回路由（　　　　）、（　　　　）、（　　　　）及（　　　　）等组成。

3. 根据《机电设备维修规程》中泵控制箱保养规定，水泵控制箱的日常维护主要包括（　　　　）、（　　　　）和（　　　　）。

4. 如果水泵控制箱出现漏电保护器跳电的情况，主要原因有（　　　　）、（　　　　）、（　　　　）；我们应该通过（　　　　）、（　　　　）、（　　　　）来解决故障。

二、简答题

1. 水泵控制箱启动方式有哪几种？
2. 写出交流接触器组成部分。
3. 简述消防自动巡检柜的作用。
4. 简述马达保护器的作用。
5. 简述水泵控制箱的周巡检内容。
6. 请您根据本模块所学的知识，实操完成水泵控制箱内部零件故障的处理。

模块八　突发事件处理

案例导学

某地铁列车在行驶途中，由于隧道内部消防水管爆管，积水漫过道床，列车紧急停车，乘客陷入短暂的惊慌，在列车长和车站人员的指挥和疏导下，乘客有序地通过逃生通道安全到达车站，与此同时，相关专业维修人员及时到达现场，将积水排除，不久之后，列车顺利通车。

那么，车站内都会出现哪些突发事件？如果突发事件发生，车站该怎么应对？如何保障乘客的安全？以上的问题可以通过学习本模块得到解决。

学习目标

（1）掌握区间消防管爆裂造成区间水淹应急处理的流程及故障处理的要求。
（2）掌握区间排水设施故障造成区间水淹应急处理的流程及故障处理的要求。
（3）掌握地面排水口堵塞造成区间水淹应急处理的流程及故障处理的要求。
（4）掌握车站水管大量漏水造成车站水淹应急处理的流程及故障处理的要求。

技能目标

（1）能参与区间消防管爆裂造成区间水淹应急处理。
（2）能参与区间排水设施故障造成区间水淹应急处理。
（3）能参与地面排水口堵塞造成区间水淹应急处理。
（4）能参与车站水管大量漏水造成车站水淹应急处理。

相关知识

车站一般为一路生活水、两路独立的消防水，地下车站消火栓为独立的给水系统，由消防泵出水管引出两路 *DN*150 供水总管，供车站站厅、站台层消火栓用水，并接至相邻区间，在车站及区间内均形成环网。地下车站的供水范围为车站带相邻区间的一半，在车站两端与区间连通管处设手、电两用蝶阀。

任务一　区间消防管爆裂造成区间水淹应急处置

一、区间消防爆管的定义

地铁区间消防管道在支架发生位移或管配件突然开裂造成了接口松动，水从缝隙处大量漏出，引起车站站厅公共区、站台公共区、轨行区瞬间积水，影响运营服务，影响电客车正常行驶。狭义的讲，一般认为区间的消防管破裂为区间爆管，但是特殊情况下，有的区间排水管破裂，我们也可以称之为区间爆管。因而广义上，我们就可以认为，区间管道的破裂可以统称为区间爆管。

二、区间消防爆管的影响

区间消防爆管可能会使地面积水进入同层设备房，造成短路故障；导致信号、通信设备发生故障；轨行区大量积水，造成电客车停运。

由于区间消防爆管可能造成的严重后果，所以区间消防爆管的应急处理显得十分重要。

三、区间消防爆管的应急处理步骤

（一）确认故障

首先要先确认是否发生区间消防爆管。

（二）确认地点

以 2 号线一期丽园南路站至云霞路站下行区间消防爆管为例，要确认爆管的区间段。

（三）联系调度请点

爆管区间相邻的两个车站均需要请点（丽园南路站、云霞路站）。

（四）动作车站操作

（1）通过客运部生产调度、环（设）调在取得操作权限后联系协调车站人员紧急关闭爆管两端区间 4 个电动蝶阀，以 2 号线一期丽园南路站至云霞路站下行区间消防爆管为例，动作车站操作如图 8-1 所示。

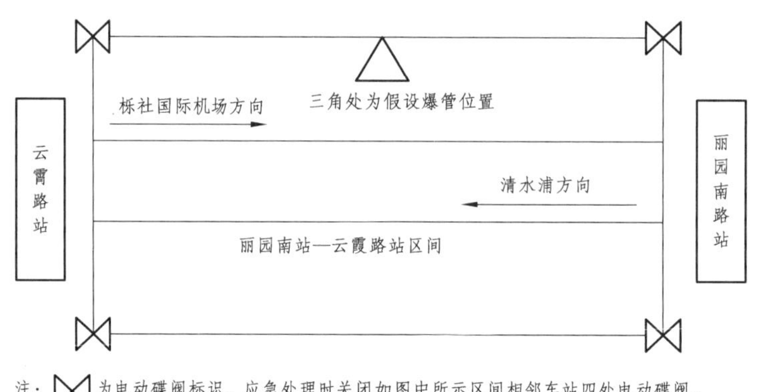

图 8-1　电动蝶阀示意图

（2）抢修人员到达事故现场后，应先确认漏水管道上的控制阀门是否关闭严密，检查该区间排水设施是否正常。

（3）若有脱落的消防管侵限的情况，第一时间通知客运部生产调度，由客运部生产调度告知行调，在行调发出抢修命令后及时出清线路上的管道，确保最快时间恢复运营。

（4）检查该区间积水情况，并根据检查情况决定是否立即组织抢修，是否启用应急排水泵。

（5）若不能保证列车安全运行，须立即进行抢修，向设修调度汇报情况，进行请点，进入区间进行抢修。

（6）给排水专业人员在站务人员同意进入轨行区间情况下，携带相关应急抢险工具及时进入到区间爆管地点，及时处置漏水管道。

（7）若不直接影响列车安全运行，可以不立即进行抢修，向设修调度说明情况后，再利用夜间请点进行抢修。

（8）抢修工作完毕后，立即向客运部生产调度、设修调度及相关领导汇报抢修情况，并进行销点。

（9）同时申请增加临时计划，准备好相关材料、机具，组织好人员，待停运后对爆管点进行修复；修复完成后将相邻站的电动蝶阀打开，并对该区域管道进行打压试验，确定该区域消防管道正常后，故障解除。

任务二　区间排水设施故障造成区间水淹应急处置

一、区间排水设施故障的定义

地铁区间排水设施包括潜水泵、水泵控制柜、集水池、区间检查口、相关管道阀门，区间排水设施承担该段区间结构渗漏水、消防管道漏水的强排任务，如该相关设施发生故障，有可能导致轨行区积水，如积水持续上升，将直接导致列车停运，给轨道交通带来巨大损失。

二、区间排水设施故障的影响

区间排水设施故障有可能导致区间积水无法强排，如严重将直接导致列车停运。由于区间排水设施故障可能造成严重后果，所以区间排水设施的应急处理显得十分重要。

三、区间消防爆管的应急处理步骤

（一）确认故障

首先要先确认是否发生区间排水设施故障。

（二）确认地点

以2号线一期丽园南路站至云霞路站区间排水设施为例，要确认区间排水设施的区间段。

四、确认该区间排水设施的实际情况，至故障区间BAS监控所属车站进行查看

（1）排水泵房高水位报警应急处理。

（2）联系环调申请该排水设施的操作权限，对该排水设施进行强制启动；水泵启动后，观察BAS界面水泵的运行情况，水位下降情况；如水位下降至低水位时，停止水泵；将转换开关旋至“远程状态”；向设调回复，区间高水位报警故障排除，同时申请添乘，观察该区间轨行区水位，确定不影响行车后向调度回复故障解除，不影响行车。

同时申请增加临时计划，准备好相关材料、机具，组织好人员，待停运后对该区间排水设施进行故障处理，确认该故障修复后，故障解除。

五、若无法远程强启，则需前往水淹区间泵房进行抢险

（1）若车站无法对该排水设施进行强制启动，则需进行区间潜水泵故障抢险。

（2）携带区间水泵故障应急材料、工具与调度联系，经同意后随电客车进入区间泵房进行故障处理。

（3）同时通知低压供电专业参与抢修工作，做好给排水设备恢复运行的各项准备工作，供电恢复后，应立即恢复设备正常运行。若低压供电专业无法恢复电源，采用柴油发电机进行发电。

（4）潜水排污泵流量或扬程下降。

① 泵反转：调换三相中任意两相的位置。

② 装置扬程与额定扬程不符：更换水泵。

③ 出水管局部可能堵死：及时疏通管路。

④ 出水管泄漏：修补、更换泄漏管道。

⑤ 水泵流道堵塞：取出堵塞物。

⑥ 叶轮、密封环磨损：更换相关部件。

（5）水泵控制箱、液位计等动力、控制系统故障。

① 检查超声波液位计是否正常。

② 检查水泵控制箱及控制电缆是否正常。

（6）管路、阀门故障。

① 泵出口止回阀故障会导致外部市政排水倒灌区间泵房。

② 出水管局部可能堵死：及时疏通管路。

③ 出水管泄漏：修补跟换泄漏管道。

④ 水泵流道堵塞：取出堵塞物。

（7）至排水泵房，将水泵控制按钮旋为手动状态，启动水泵进行排水。

（8）水位下降至启泵水位后，将水泵控制调为自动状态，进行超声波液位仪功能测试。

（9）水泵控制调为停止位，检查水泵控制箱内二次回路、主回路及各电器元件是否工作正常。

（10）水泵控制恢复自动状态，再次确定超声波液位仪状态是否正常。

（11）对故障设备进行更换、测试，对上下行检查口进行检查，确认无杂物堵住进水口，轨行区出清，再次确认设备正常后回复调度（故障已排除，不影响行车），听从调度的安排再次添乘电客车返回车站，故障解除。

任务三　地面排水口堵塞造成区间水淹应急处置

一、地面排水口堵塞的定义

地面排水压力井及检查井是车站排水设施的末端设施，是连接站内排水设施与市政排水管网的关键构筑物，也是非常关键的设施，如图 8-2、图 8-3 所示。

图 8-2　站外排水检查井

图 8-3　市政工作人员对排水井进行疏通

二、地面排水设施堵塞的影响

如该排水构筑物发生堵塞，则站内废水将无法正常排出车站，长期运转将导致潜水泵控制箱跳闸，严重时将导致潜水泵电机烧毁、轨行区积水、出入口电扶梯停运，严重影响客运服务。由于地面排水口堵塞可能造成严重后果，所以地面排水口堵塞的应急处理显得十分重要。

三、地面排水口堵塞的应急处理步骤

（一）确认故障

首先要确认是否发生地面排水口堵塞。

（二）确认地点

以2号线一期外滩大桥站A口与市政相接的最后一个废水检查井为例，要确定地面排水口堵塞的位置。

（三）联系调度请点

（1）确定堵塞检查井位置，采用临时水泵迅速将堵塞前一口井内的废水排至堵塞后一口井内，确保站内废水顺利排出。

（2）迅速组织人员对排水井进行开挖、疏通。

（3）如对检查井进行损坏，须同时联系工务对开挖疏通后的排水检查井进行修复。

（4）如该检查井属于市政，在疏通开挖的同时及时联系市政单位对该检查井进行清淤修复。

（5）确保站内废水顺利排出，检查井疏通后回复调度，故障已排除，不影响行车及客运服务。

任务四 车站水管大量漏水造成车站水淹应急处置

一、车站水管大量漏水的定义

车站内站厅、出入口、站台、设备区均有消防环管、给水环管，并且消防环管、给水环管均有压力，如阀门（见图 8-4）或管道连接处发生故障，环管内的压力水将大量喷出，给车站客运服务带来严重影响。

（a）

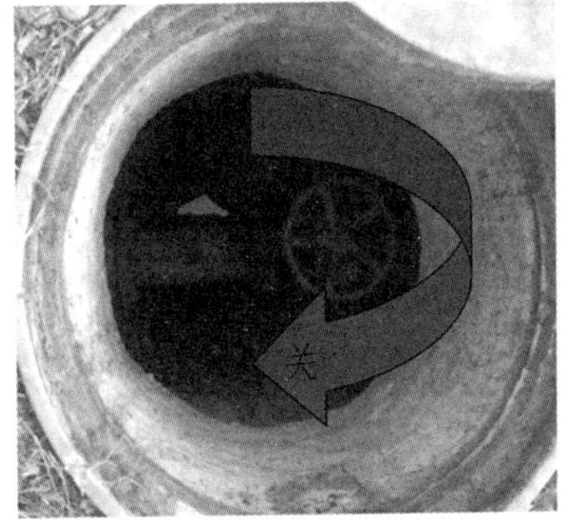

（b）

图 8-4 车站给水总阀门井

二、车站水管大量漏水的影响

如车站水管大量漏水且未及时对相关阀门进行关闭，压力水将迅速喷出，相关区域将大面积积水，如漏水持续，则有可能进入轨行区影响行车；由于车站水管大量漏水可能造成的严重后果，所以车站水管大量漏水的应急处理显得十分重要。

三、车站水管大量漏水的应急处理步骤

（一）确认故障

首先要先确认是否发生车站水管大量漏水。

（二）确认地点

以 2 号线一期倪家堰站台上行头消防管卡箍断裂导致消防水喷出为例，要确定漏水点的位置。

（三）联系调度请点

（1）车站值班人员应迅速查明漏水设备属于哪个系统，并立即关闭相应的阀门，切断水源。

（2）若生活给水管道漏水，如果第一时间不能确定最近阀门的位置，站务人员可第一时间关闭车站进水总管阀门，等待专业抢修人员到场再行处理。

（3）若消防给水管道漏水，首先站务人员应找到并关闭车站外的两路消防进水阀门。然后关闭车站上下行四个区间消防电动蝶阀。做好抢修准备，等待专业抢修人员到场抢修。

（4）当变压器、照明与动力控制柜、电气设备、电线槽附近发生漏水时，如果不能避免漏电，则应关闭电闸确保员工安全及设备安全。

（5）抢修人员接到命令后，必须以最快的速度赶到现场进行抢修，在配合车站人员切断水源的同时采用快速堵漏措施进行抢修和处理，修复损坏的设备。设备修复后应按照相关要求进行试压，试压合格后方可恢复运行。

（6）确保漏水点已修复，积水已清理完成，回复调度故障已排除，不影响行车及客运服务，故障解除。

根据以上学习内容，评价自己对本任务内容的掌握程度，在下表相应空格里打“√”。

评价内容	差	合格	良好	优秀
对给排水突发事件应急处理的定义、影响及处理流程、注意事项、汇报流程的掌握程度				
学习中存在的问题或感悟				

模块训练

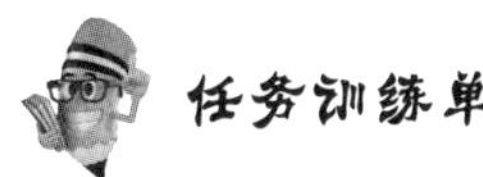

班级： 姓名： 训练时间：

<table>
<tr><th>任务训练单</th><th>突发事件处理相关作业</th></tr>
<tr><td>任务目标</td><td>掌握给排水突发事件应急处理流程、注意事项及汇报流程</td></tr>
<tr><td>任务训练</td><td>区间消防管爆裂造成区间水淹应急处置、区间排水设施故障造成区间水淹应急处置、地面排水口堵塞造成区间水淹应急处置、车站水管大量漏水造成车站水淹应急处置</td></tr>
<tr><td colspan="2">任务训练一
（说明：总结区间消防管爆裂造成区间水淹应急处置、区间排水设施故障造成区间水淹应急处置作业流程，并进行实操练习）</td></tr>
<tr><td colspan="2">任务训练二
（说明：总结地面排水口堵塞造成区间水淹应急处置、车站水管大量漏水造成车站水淹应急处置作业流程，并进行实操练习）</td></tr>
<tr><td colspan="2">任务训练的其他说明或建议：</td></tr>
<tr><td colspan="2">指导老师评语：</td></tr>
<tr><td colspan="2">任务完成人签字： 日期： 年 月 日
指导老师签字： 日期： 年 月 日</td></tr>
</table>

模块小结

本模块讲述了给排水区间消防管爆裂造成区间水淹、区间排水设施故障造成区间水淹、地面排水口堵塞造成区间水淹、车站水管漏水造成车站水淹四个突发事件的定义、影响及发生该事故的应急处理流程、注意事项、汇报流程。

模块自测

1. 简述区间消防管爆裂造成区间水淹的意义及影响。
2. 简述区间排水设施故障造成区间水淹无法远程强启水泵时的处理方法。
3. 简述车站大量漏水造成车站水淹的处理过程。
4. 如发生上述突发事件，你作为给排水专业的一员应该怎么做?
5. 针对上述处理相应突发事件的流程，你觉得自己对相关设备设施是否了解？还欠缺哪些专业基础知识?

给排水维修员初级育人标准

业务模块	工作事项	业务活动	技能要求	知识和规章要求	培训方法及课时	经验要求
一、工作交接	出/退勤及交接班作业	1.办理出勤手续； 2.着装规范，备品齐全； 3.工作报备及填写台账； 4.办理退勤手续； 5.汇报当班的作业完成情况； 6.填写设备作业相关台账； 7.交接班双方人员必须做好交接班的准备工作； 8.查看相关设备运行记录表； 9.介绍运行状况和方式及设备巡检、维修、变更情况； 10.做好中心故障记录； 11.检查设备状况； 12.相关工班工器具、仪器仪表清点移交	1.1 能按要求办理出勤手续； 2.1 能按规定着装规范，备品齐全； 3.1 与值班组长进行工作报备； 3.2 对交班人填写的《中心交接班记录本》中描述的设备工作情况及其他需要说明的情况进行确认并签字； 4.1 能按要求办理退勤手续； 5.1 准确汇报当班的设备情况； 6.1 填写相关设备巡检、保养、故障维修台账，填写好《中心交接班记录本》并与接班人确认签字； 7.1 能独立进行交接班的准备工作，并准时进行交接班； 8.1 能查看相关设备运行记录表，了解设备运行情况； 9.1 能独立介绍运行状况和方式，以及设备巡检、维修、变更情况； 10.1 能独立做好中心故障记录； 11.1 能检查设备状况； 12.1 能独立完成工器具、仪器仪表清点移交	1.相关规章： 《班组管理办法》——出退勤规定； 2.相关知识： 《机电设备维修维护规程》第四章；按要求检查工具备品；严守工作岗位，不得擅离职守；掌握触电急救法及灭火器使用办法	1.教学重点：给排水维修员出/退勤作业、整备作业和工作交接作业的内容和注意事项； 2.教学方法：课堂讲授、现场情景模拟等； 3.培训资料：规章、文本等； 4.课时：理论 6 课时，实操 9 课时	1.培训练习要求：在实际工作不定期现场模拟练习 3 次以上，能熟练掌握出退勤作业和交接班作业业务流程；取得上岗证； 2.工作经验要求：取得上岗证后，连续从事本工作 3 个月以上，并无不良考核； 3.效果验证方式：能独立开展出/退勤作业和交接班作业的各项工作

续表

业务模块	工作事项	业务活动	技能要求	知识和规章要求	培训方法及课时	经验要求
二、消防泵组操作与故障应急处理	消防泵组的操作及维护	1.明确此次操作的目的； 2.确认现场环境； 3.启动前检查管道压力； 4.检查管道阀门的状态； 5.检查控制箱内线路情况； 6.检查管道压力； 7.设定自动泄压阀的泄压压力； 8.IBP盘远程操作； 9.就地手动操作； 10.设备恢复正常工作状态； 11.日巡检； 12.月保养； 13.季保养； 14.年保养	1.1 能明确此次操作的目的； 2.1 能确认现场环境； 3.1 能独立启动前检查管道压力； 4.1 能独立检查管道阀门的状态； 5.1 能独立检查控制箱内线路情况； 6.1 能独立检查管道压力； 7.1 能独立设定自动泄压阀的泄压压力； 8.1 能独立通过 IBP 盘启动消防泵； 9.1 能独立就地手动操作消防泵； 10.1 能独立对消防泵恢复正常工作状态； 11.1 能按消防水泵日巡检规程对水泵进行巡检维护并做好记录； 12.1 能按消防水泵月保养规程对水泵进行保养维护并做好记录； 13.1 能按消防水泵季保养规程对水泵进行保养维护并做好记录； 14.1 能按消防水泵年保养规程对水泵进行保养维护并做好记录	1.相关规章： 《给排水设备维修维护规程》;《机电设备故障处理指南》;《给排水专业现场处置方案》;《施工管理规定》;《机电设备维修规则》第五章； 2.相关知识： 电工基础知识；机械基础知识；钳工基础知识；管道工基础知识；给排水设备施工图纸知识；消防水泵作用及构造	1.教学重点：是掌握消防泵组的操作方法、规范及流程；能独立地完成设备的正常运行；理解设备维修维护规程，能独立对消防水泵进行维护； 2.教学方法：主要是现场讲授、导师示范等教学方法； 3.培训资料：教材，规章、规范等； 4. 课时：理论 21 课时；实操 28 课时	1. 培训练习要求：在实际工作不定期现场模拟练习 5 次以上，能熟练掌握给消防泵组操作、维保业务的流程和各项要点；取得上岗证； 2.工作经验要求：取得上岗证后，连续从事本工作 3 个月以上； 3.效果验证方式：能在监护下独立开展消防泵组的实际操作、维保作业

续表

业务模块	工作事项	业务活动	技能要求	知识和规章要求	培训方法及课时	经验要求
二、消防泵组操作与故障应急处理	消防泵组的故障案例	1.消防泵漏水； 2.消防泵不上量； 3.消防泵震动大； 4.消防泵的阀门； 5.做好故障处理记录	1.1 能对消防泵漏水故障作出准确的判断并具备协助处理能力； 2.1 能对消防泵不上量故障作出准确的判断并具备协助处理能力； 3.1 能对消防泵震动大故障作出准确的判断并具备协助处理能力； 4.1 能更换消防泵的阀门； 5.1 能做好故障处理记录	1.相关规章： 《机电设备维修规则》第六章；《给排水设备维修维护规程》第四章、第五章；《机电设备故障处理指南》第四章；《施工管理规定》； 2.相关知识： 电工基础知识；机械基础知识；钳工知识；管道工知识	1.教学重点：是理解故障产生的原因，掌握机电设备故障处理指南，能独立的进行消防水泵故障处理； 2.教学方法：主要是现场讲授、导师示范等教学方法； 3.培训资料：规章、教材等； 4.课时：理论 5 课时；实操 6 课时	1.培训练习要求：在实际工作不定期现场模拟练习 5 次以上，能简单处理消防泵组各项故障，熟悉故障处理的一般流程和各项要点；取得上岗证； 2.工作经验要求：取得上岗证后，连续从事本工作 3 个月以上； 3.效果验证方式：能在监护下独立进行消防泵组故障的原因判断和简单处理
三、潜水泵组操作与故障应急处理	潜水泵组的操作	1.明确此次操作的目的； 2.确认现场环境； 3.检查阀门状态； 4.检查控制箱内线路情况； 5.检查液位的设定； 6.BAS 界面远程操作； 7.就地手动操作；	1.1 能明确此次操作的目的； 2.1 能确认现场环境； 3.1 启动前能独立检查阀门状态； 4.1 能独立检查控制箱内线路情况； 5.1 能独立检查液位的设定； 6.1 能独立 BAS 界面远程操作； 7.1 能独立就地手动操作； 8.1 能独立恢复设备正常工作状态； 9.1 能按潜水泵周巡检规程对水泵进行巡检维护并做好记录；	1.相关规章： 《给排水设备维修维护规程》;《机电设备故障处理指南》;《给排水专业现场处置方案》;《施工管理规定》;《机电设备维修规则》第五章； 2.相关知识： 电工基础知识；机械基础知识；钳工知识；管道工知识；给排水设备施工图纸知识；潜水泵作用及构造	1.教学重点：是掌握潜水泵组的操作方法、规范及流程；能独立地完成设备的正常运行，理解设备维修维护规程，能独立对潜水泵进行维护； 2.教学方法：主要是现场讲授、导师示范等教学方法 3.培训资料：教材，规章、教材等； 4.课时：理论 17 课时；实操 24 课时	1. 培训练习要求：在实际工作不定期现场模拟练习 5 次以上，能熟练掌握潜水泵组操作、维保业务的流程和各项要点；取得上岗证； 2.工作经验要求：取得上岗证后，连续从事本工作 3 个月以上； 3.效果验证方式：能在监护下独立开展潜水泵组的实际操作、维保作业

续表

业务模块	工作事项	业务活动	技能要求	知识和规章要求	培训方法及课时	经验要求
三、潜水泵组操作与故障应急处理	潜水泵组的操作	8.设备恢复正常工作状态； 9.周巡检； 10.季保养； 11.年保养	10.1 能按潜水泵季保养规程对水泵进行保养维护并做好记录； 11.1 能按潜水泵年保养规程对水泵进行保养维护并做好记录			
	潜水泵组的故障案例	1.潜水泵漏水； 2.潜水泵不上量； 3.潜水泵震动大； 4.潜水泵解体检查； 5.做好故障处理记录	1.1 能对潜水泵漏水故障作出准确的判断并具备协助处理能力； 2.1 能对潜水泵不上量故障作出准确的判断并具备协助处理能力； 3.1 能对潜水泵震动大故障作出准确的判断并具备协助处理能力； 4.1 能独立处理潜水泵解体检查的作业； 5.1 能做好故障处理记录	1.相关规章： 《机电设备维修规则》第六章；《给排水设备维修维护规程》第四章、第五章；《机电设备故障处理指南》第四章；《施工管理规定》； 2.相关知识： 电工基础知识；机械基础知识；钳工知识；管道工知识	1.教学重点：是理解故障产生的原因，掌握机电设备故障处理指南，能独立的进行潜水泵故障处理； 2.教学方法：主要是现场讲授、现场带教等教学方法； 3.培训资料：规章、教材等； 4.课时：理论 3 课时；实操 4 课时	1. 培训练习要求：在实际工作不定期现场模拟练习 5 次以上，能简单处理潜水泵组各项故障，熟悉故障处理的一般流程和各项要点；取得上岗证； 2.工作经验要求：取得上岗证后，连续从事本工作 3 个月以上； 3.效果验证方式：能在监护下独立进行潜水泵组故障的原因判断和简单处理
四、给水泵组操作与故障应急处理	给水泵组操作	1.明确此次操作的目的； 2.确认现场环境； 3.检查阀门状态； 4.检查控制箱内线路情况； 5.确认压力表的读数；	1.1 能明确此次操作的目的； 2.1 能确认现场环境； 3.1 启动前能独立检查阀门状态； 4.1 能独立检查控制箱内线路情况； 5.1 能独立确认压力表的读数； 6.1 能独立现场就地手动操作；	1.相关规章： 《给排水设备维修维护规程》;《机电设备维修规则》第五章；《机电设备故障处理指南》;《给排水专业现场处置方案》;《施工管理规定》； 2.相关知识： 电工基础知识；机械基础知识；钳工知识；管道工知识；给排水设备施工图纸知识；恒	1.教学重点：是掌握给水泵组的操作方法、规范及流程；能独立地完成设备的正常运行，是理解设备维修维护规程，能独立对给水泵进行维护 2 教学方法：主要是现场讲授、导师示范等教学方法； 3.培训资料：教材，规章、	1. 培训练习要求：在实际工作不定期现场模拟练习 5 次以上，能熟练掌握给水泵组操作、维保业务的流程和各项要点；取得上岗证； 2.工作经验要求：取得上岗证后，连续从事本工作 3 个月以上； 3.效果验证方式：能在

续表

业务模块	工作事项	业务活动	技能要求	知识和规章要求	培训方法及课时	经验要求
四、给水泵组操作与故障应急处理	给水泵组操作	6.就地自动操作； 7.恢复设备正常工作状态； 8.周巡检； 9.月巡检； 10.季保养； 11.年保养	7.1 能独立恢复设备正常工作状态； 8.1 能按给水泵周巡检规程对水泵进行巡检维护并做好记录； 9.1 能按给水泵月巡检规程对水泵进行巡检维护并做好记录； 10.1 能按给水泵季保养规程对水泵进行保养维护并做好记录； 11.1 能按给水泵年保养规程对水泵进行保养维护并做好记录	压给水泵组作用及构造	教材等； 4.课时：理论 17 课时；实操 24 课时	监护下独立开展给水泵组的实际操作、维保作业
	给水泵组的故障案例	1.水泵的漏水； 2.水泵不上量； 3.水泵震动大； 4.水泵解体检查； 5.做好故障处理记录	1.1 能对给水泵漏水故障作出准确的判断并具备协助处理能力； 2.1 能对给水泵不上量故障作出准确的判断并具备协助处理能力； 3.1 能对给水泵震动大故障作出准确的判断并具备协助处理能力； 4.1 能独立处理给水泵解体检查的作业； 5.1 能做好故障处理记录	1.相关规章： 《机电设备维修规则》第六章；《给排水设备维修维护规程》第四章、第五章；《机电设备故障处理指南》第四章；《施工管理规定》； 2.相关知识： 电工基础知识；机械基础知识；钳工知识；管道工知识	1.教学重点：是理解故障产生的原因，掌握机电设备故障处理指南，能独立的进行给水泵故障处理； 2.教学方法：主要是现场讲授、现场带教等教学方法； 3.培训资料：规章、教材等； 4.课时：理论 3 课时；实操 4 课时	1. 培训练习要求：在实际工作不定期现场模拟练习 5 次以上，能简单处理给水泵组各项故障，熟悉故障处理的一般流程和各项要点；取得上岗证； 2.工作经验要求：取得上岗证后，连续从事本工作 3 个月以上； 3.效果验证方式：能在监护下独立进行给水泵组故障的原因判断和简单处理
五、密闭提升装置操作与故障应急处理	密闭提升装置操作	1.明确此次操作的目的； 2.确认现场环境； 3.检查阀门状	1.1 能明确此次操作的目的； 2.1 能确认现场环境； 3.1 启动前能独立检查阀门状态； 4.1 能独立检查控制箱内线路	1.相关规章： 《给排水设备维修维护规程》；《机电设备故障处理指南》；《给排水专业现场处置方案》；《施工管理规定》；	1.教学重点：是掌握密闭提升装置的操作方法、规范及流程；能独立地完成设备的正常运行 2 教学方法：主要是现场	1. 培训练习要求：在实际工作不定期现场模拟练习 5 次以上，能熟练掌握密闭提升装置操作、维保业务的流程和各项

续表

业务模块	工作事项	业务活动	技能要求	知识和规章要求	培训方法及课时	经验要求
五、密闭提升装置操作与故障应急处理	密闭提升装置操作	态； 4.检查控制箱内线路情况； 5.确认压力表的读数； 6.就地手动操作； 7.恢复设备正常工作状态； 8.周巡检； 9.季保养； 10.年保养	情况； 5.1 能独立确认压力表的读数； 6.1 能独立就地手动操作； 7.1 能独立恢复设备正常工作状态； 8.1 能按密闭提升装置周巡检规程对密闭提升装置进行巡检维护并做好记录； 9.1 能按密闭提升装置季保养规程对密闭提升装置进行保养维护并做好记录； 10.1 能按密闭提升装置年保养规程对密闭提升装置进行保养维护并做好记录	2.相关知识： 电工基础知识；机械基础知识；钳工知识；管道工知识	讲授、导师示范等教学方法； 3.培训资料：教材等； 4.课时：理论 10 课时；实操 14 课时	要点；取得上岗证； 2.工作经验要求：取得上岗证后，连续从事本工作 3 个月以上； 3.效果验证方式：能在监护下独立开展密闭提升装置的实际操作、维保作业
	密闭提升装置故障案例	1. 密闭提升装置的漏水； 2. 密闭提升装置不上量； 3. 密闭提升装置震动大； 4. 密闭提升装置解体检查； 5.做好故障处理记录	1.1 能对密闭提升装置漏水故障作出准确的判断并具备协助处理能力； 2.1 能对密闭提升装置不上量故障作出准确的判断并具备协助处理能力； 3.1 能对密闭提升装置震动大故障作出准确的判断并具备协助处理能力； 4.1 能独立处理密闭提升装置解体检查的作业； 5.1 能做好故障处理记录	1.相关规章： 《机电设备维修规则》第六章；《给排水设备维修维护规程》第四章、第五章；《机电设备故障处理指南》第四章；《施工管理规定》； 2.相关知识： 电工基础知识；机械基础知识；钳工知识；管道工知识	1.教学重点：是理解故障产生的原因，掌握机电设备故障处理指南，能独立的进行密闭提升装置故障处理； 2.教学方法：主要是现场讲授、现场带教等教学方法； 3.培训资料：规章、教材等； 4.课时：理论 3 课时；实操 4 课时	1. 培训练习要求：在实际工作不定期现场模拟练习 5 次以上，能简单处理密闭提升装置各项故障，熟悉故障处理的一般流程和各项要点；取得上岗证； 2.工作经验要求：取得上岗证后，连续从事本工作 3 个月以上； 3.效果验证方式：能在监护下独立进行密闭提升装置故障的原因判断和简单处理

续表

业务模块	工作事项	业务活动	技能要求	知识和规章要求	培训方法及课时	经验要求
六、电动蝶阀、管道及阀门操作与故障应急处理	电动蝶阀、管道及阀门操作	1.明确此次操作的目的； 2.确认现场环境； 3.确认电动蝶阀现场位置； 4.现场确认电动蝶阀的开关状态； 5.现场启动电动蝶阀； 6.现场恢复电动蝶阀正常工作状态； 7.BAS界面确认电动蝶阀位置； 8.BAS界面确认电动蝶阀的开关状态； 9.BAS界面启动确认电动蝶阀的开关； 10.BAS界面恢复电动蝶阀正常工作状态； 11.季巡检； 12.年保养	1.1 能明确此次操作的目的； 2.1 能确认现场环境； 3.1 能确认电动蝶阀现在位置； 4.1 现场能单独确认电动蝶阀的开关状态； 5.1 现场能单独启动电动蝶阀； 6.1 现场能单独恢复电动蝶阀正常工作状态； 7.1 能单独在BAS界面确认电动蝶阀位置； 8.1 能单独在BAS界面确认电动蝶阀的开关状态； 9.1 能单独在BAS界面启动确认电动蝶阀的开关； 10.1 能单独在BAS界面恢复电动蝶阀正常工作状态； 11.1 能按管道、阀门季巡检规程对管道、阀门进行巡检维护并做好记录； 12.1 能按管道、阀门年检保养规程对管道、阀门进行保养维护并做好记录	1.相关规章： 《给排水设备维修维护规程》；《机电设备故障处理指南》；《给排水专业现场处置方案》；《机电设备维修规则》第五章；《施工管理规定》； 2.相关知识： 电工基础知识；机械基础知识；钳工知识；管道工知识；给排水设备施工图纸知识	1.教学重点：是掌握电动蝶阀、管道及阀门的操作方法、规范及流程，能独立对管道、阀门进行操作及维护； 2.教学方法：主要是现场讲授、导师示范等教学方法； 3.培训资料：文本、教材等； 4.课时：理论17课时；实操24课时	1. 培训练习要求：在实际工作不定期现场模拟练习5次以上，能熟练掌握电动蝶阀、管道及阀门操作、维保业务的流程和各项要点；取得上岗证； 2.工作经验要求：取得上岗证后，连续从事本工作3个月以上； 3.效果验证方式：能在监护下独立开展电动蝶阀、管道及阀门的实际操作、维保作业

续表

业务模块	工作事项	业务活动	技能要求	知识和规章要求	培训方法及课时	经验要求
六、电动蝶阀、管道及阀门操作与故障应急处理	电动蝶阀、管道及阀门故障案例	1.管道连接处漏水； 2.管道爆管； 3.金属软管、波纹管爆管； 4.管道堵塞； 5.做好故障处理记录	1.1 能独立处理管道连接处漏水故障； 2.1 能协助处理管道爆管故障； 3.1 能协助处理金属软管、波纹管爆管故障； 4.1 能独立处理管道卡箍连接处漏水故障； 5.1 能做好故障处理记录	1.相关规章： 《机电设备维修规则》第六章；《给排水设备维修维护规程》第四章、第五章；《机电设备故障处理指南》第四章；《施工管理规定》； 2.相关知识： 电工基础知识；机械基础知识；钳工知识；管道工知识	1.教学重点：是理解故障产生的原因，掌握机电设备故障处理指南，能独立的进行管道故障处理； 2.教学方法：主要是现场讲授、现场带教等教学方法； 3.培训资料：文本、规范等； 4.课时：理论3课时；实操4课时	1.培训练习要求：在实际工作不定期现场模拟练习5次以上，能简单处理电动蝶阀、管道及阀门各项故障，熟悉故障处理的一般流程和各项要点；取得上岗证； 2.工作经验要求：取得上岗证后，连续从事本工作3个月以上； 3.效果验证方式：能在监护下独立进行电动蝶阀、管道及阀门故障的原因判断和简单处理
七、水泵控制箱操作与故障应急处理	水泵控制箱维护	1.明确此次操作的目的； 2.确认现场环境； 3.确认水泵控制箱现场位置； 4.现场确认水泵控制箱的开关状态； 5.现场启动水泵控制箱； 6.现场恢复水泵控制箱正常工作状态；	1.1 能明确此次操作的目的； 2.1 能确认现场环境； 3.1 能确认电动蝶阀现在位置； 4.1 现场能单独确认电动蝶阀的开关状态； 5.1 现场能单独启动电动蝶阀； 6.1 现场能单独恢复电动蝶阀正常工作状态； 7.1 能单独在BAS界面确认电动蝶阀位置； 8.1 能单独在BAS界面确认电动蝶阀的开关状态；	1.相关规章： 《机电设备维修规则》第五章；《给排水设备维修维护规程》第四章、第五章；《施工管理规定》； 2.相关知识： 电工基础知识；机械基础知识；钳工知识；管道工知识；给排水设备施工图纸知识	1.教学重点：是理解设备维修维护规程，能独立对水泵控制箱进行维护； 2.教学方法：主要是现场讲授、导师示范等教学方法； 3.培训资料：规章、教材等； 4.课时：理论10课时；实操15课时	

续表

业务模块	工作事项	业务活动	技能要求	知识和规章要求	培训方法及课时	经验要求
七、水泵控制箱操作与故障应急处理	水泵控制箱维护	7.BAS 界面确认水泵控制箱位置； 8.BAS 界面确认水泵控制箱的开关状态； 9.BAS 界面启动确认水泵控制箱的开关； 10.BAS 界面恢复水泵控制箱正常工作状态； 11.周巡检； 12.季保养； 13.年保养	9.1 能单独在 BAS 界面启动确认电动蝶阀的开关； 10.1 能单独在 BAS 界面恢复电动蝶阀正常工作状态； 11.1 能按水泵控制箱周巡检规程对水泵控制箱进行巡检维护并做好记录； 12.1 能按水泵控制箱季检保养规程对水泵控制箱进行保养维护并做好记录； 13.1 能按水泵控制箱年检保养规程对水泵控制箱进行保养维护并做好记录			
	水泵控制箱故障案例	1.断路器跳闸； 2.线路故障； 3.元器件损坏； 4.负载故障； 5.参数设置； 6.做好故障处理记录	1.1 能协助处理断路器跳闸引起的故障； 2.1 能协助处理线路故障； 3.1 能协助处理元器件损坏引起的故障； 4.1 能处理简单的负载故障； 5.1 能进行简单参数设置； 6.1 能做好故障处理记录	1.相关规章： 《机电设备维修规则》第六章；《给排水设备维修维护规程》第四章、第五章；《机电设备故障处理指南》第四章；《施工管理规定》； 2.相关知识： 电工基础知识；机械基础知识；钳工知识；电气安全管理规程	1.教学重点：是理解故障产生的原因，掌握机电设备故障处理指南，能独立的进行水泵控制箱故障处理； 2.教学方法：主要是现场讲授、现场带教等教学方法； 3.培训资料：规章、教材等； 4.课时：理论 3 课时；实操 4 课时	1. 培训练习要求：在实际工作不定期现场模拟练习 5 次以上，能简单处理水泵控制箱各项故障，熟悉故障处理的一般流程和各项要点；取得上岗证； 2.工作经验要求：取得上岗证后，连续从事本工作 3 个月以上； 3.效果验证方式：能在监护下独立进行水泵控制箱故障的原因判断和简单处理

续表

业务模块	工作事项	业务活动	技能要求	知识和规章要求	培训方法及课时	经验要求
八、突发事件处理	区间消防管爆裂造成区间水淹应急处置	应急处置	能参与区间消防管爆裂造成区间水淹应急处理	1.相关规章： 《机电设备维修规则》第六章；《给排水设备维修维护规程》第四章、第五章；《机电设备故障处理指南》第四章；《给排水现场应急处置方案》；《施工管理规定》； 2.相关知识： 电工基础知识；机械基础知识；钳工知识；管道工知识	1.教学重点：是给排水突发事件（事故）的处理流程及其工作要求、各种突发事件（事故）的注意事项；掌握处理本专业突发事件的处置方法； 2.教学方法：主要是课堂教授、预案演练等； 3.培训资料：文本等； 4.课时：理论13课时；实操18课时	1. 培训练习要求：在实际工作不定期现场模拟练习2次以上，能掌握给排水设备操作的各项要点和突发事件处理的一般流程；取得上岗证； 2.工作经验要求：取得上岗证后，连续从事本工作3个月以上； 3.效果验证方式：能在监护下独立进行相应突发事件处理所对应的各种给排水设备的实际操作
	区间排水设施故障造成区间水淹应急处置	应急处置	能参与区间排水设施故障造成区间水淹应急处理	1.相关规章： 《机电设备维修规则》第六章；《给排水设备维修维护规程》第四章、第五章；《机电设备故障处理指南》第四章；《给排水现场应急处置方案》；《施工管理规定》； 2.相关知识： 电工基础知识；机械基础知识；钳工知识；管道工知识		
	地面排水口堵塞造成区间水淹应急处置	应急处置	能参与地面排水口堵塞造成区间水淹应急处理	1.相关规章： 《机电设备维修规则》第六章；《给排水设备维修维护规程》第四章、第五章；《机电设备故障处理指南》第四章；《给排水现场应急处置方案》；《施工管理规定》； 2.相关知识： 电工基础知识；机械基础知识；钳工知识；管道工知识		

续表

业务模块	工作事项	业务活动	技能要求	知识和规章要求	培训方法及课时	经验要求
八、突发事件处理	车站水管大量漏水造成车站水淹应急处置	应急处置	能参与车站水管大量漏水造成车站水淹应急处理	1.相关规章： 《机电设备维修规则》第六章；《给排水设备维修维护规程》第四章、第五章；《机电设备故障处理指南》第四章；《给排水现场应急处置方案》；《施工管理规定》； 2.相关知识： 电工基础知识；机械基础知识；钳工知识；管道工知识		

给排水维修员中级育人标准

业务模块	工作事项	业务活动	技能要求	知识和规章要求	培训方法及课时	经验要求
一、工作交接	出/退勤	1-6 项详见初级标准； 7.检查他人劳保用品穿戴、台账填写情况	1-6 项详见初级； 7.1 能监督他人完成出/退勤	1.相关规章： 《班组管理办法》——出退勤规定； 2.相关知识： 《机电设备维修维护规程》——台账填写规范	1.教学重点：是给排水维修员出退勤作业、整备作业和工作交接作业的内容和注意事项； 2.教学方法：是课堂讲授、现场情景模拟等教学方法； 3.培训资料：规章、文本等； 4.课时：理论 1 课时；实操 3 课时	1.工作经验要求：能按照要求独立完成各项出退勤作业内容，半年以上的实际工作经验，并无不良无考核； 2.效果验证方式：理论考试
	交接班作业	1-6 项详见初级标准	1-6 项详见初级	1.相关规章： 《班组管理办法》第四章；《岗位职责》；《施工管理规定》； 2.相关知识： 按要求检查工具备品；严守工作岗位，不得擅离职守；掌握触电急救法及灭火器使用办法		
二、消防泵组操作与故障应急处理	消防泵组操作及维护	1.就地手动操作； 2. IBP 盘远程操作； 3.每月消防泵功能性试验； 4.每季消防泵日常保养； 5.每年消防泵日常保养	1.1 启动前能熟练检查管道压力； 1.2 能熟练检查管道阀门的状态； 1.3 能熟练检查控制箱内线路情况； 1.4 能熟练现场启动消防泵； 2.1 能熟练通过 IBP 盘启动消防泵； 2.2 能熟练确认消防泵运行情况； 2.3 能熟练设定自动泄压阀的泄压压力； 3.1 能熟练地进行月功能性试验；	1.相关规章： 《机电设备维修规则》——消防泵操作规定；《给排水设备维修维护规程》——消防泵巡检规定； 2.相关知识： 《消火栓系统设计规范》——压力标准；《给排水培训手册》——消防泵相关项目；《消火栓系统设计规范》；《自动喷淋系统设计规范》	1.教学重点：是掌握消防泵组的操作方法、规范及流程；能熟练地完成设备的正常运行并理解设备维修维护规程，能熟练对消防水泵进行维护 2 教学方法：主要是现场讲授、导师示范、现场情景模拟、案例剖析、专题性讲授、批判性思维培训、迁移性思维培训、启发性思维培训、反思性思维培训、现场情景模拟实操、教学线等；	1.工作经验要求：能按照要求独立掌握各项操作，二年以上的实际工作经验； 2.效果验证方式：实操考试

续表

业务模块	工作事项	业务活动	技能要求	知识和规章要求	培训方法及课时	经验要求
二、消防泵组操作与故障应急处理	消防泵组操作及维护		4.1 能熟练对泵组的润滑油脂进行检查更换； 5.1 能熟练对设备表面进行防腐； 5.2 能熟练对消防泵解体检查； 5.3 能熟练对变频器和PLC进行检查		3.培训资料：规范、文本等； 4.课时：理论2课时；实操3课时	
	消防泵组的故障案例	1.消防泵的信号故障处理； 2.消防泵漏水处理； 3.消防泵不上量故障处理； 4.消防泵震动大故障处理； 5.消防泵的阀门故障处理； 6.消防泵进行解体检查； 7.消防泵控制箱故障	1.1 能熟练对消防泵的信号故障处理； 2.1 详见初级； 2.2 能熟练对消防泵漏水处理； 3.1 详见初级； 3.2 能熟练对消防泵不上量故障处理； 4.1 详见初级； 4.2 能熟练对消防泵震动大故障处理； 5.1 详见初级； 5.2 能熟练对消防泵的阀门故障处理； 6.1 详见初级； 6.2 能熟练对消防泵进行解体； 7.1 能熟练判断消防泵各零件参数是否符合标准	1.相关规章： 《机电设备维修规则》——消防泵维修规定；《给排水设备故障处理指南》——消火栓增压系统故障处理；《给排水设备维修维护规程》——消防泵检修内容规定； 2.相关知识： 消火栓系统设计规范；自动喷淋系统设计规范；水泵安装验收规范	1.教学重点：理解故障产生的原因，熟练掌握机电设备故障处理指南，能独立的进行消防水泵故障处理； 2.教学方法：主要是现场讲授、案例示范、现场带教等； 3.培训资料：规范、文本等； 4.课时：理论1课时；实操2课时	

续表

业务模块	工作事项	业务活动	技能要求	知识和规章要求	培训方法及课时	经验要求
三、潜水泵组操作与故障应急处理	潜水泵组的操作	1. 就地手动操作； 2. BAS界面远程操作； 3.水泵月保养； 4.水泵季保养	1.1 启动前能熟练检查阀门状态； 1.2 能熟练检查控制箱内线路情况； 1.3 能熟练检查5个液位的设定； 1.4 能熟练确认液位仪的状态； 1.5 能熟练现场手动启动潜水泵； 1.6 能熟练现场模拟自动启动潜水泵； 2.1 能熟练远程启动潜水泵； 2.2 能熟练确认潜水泵的运行状态； 3.1 能熟练检测液位仪； 4.1 能熟练对设备表面进行除锈防腐； 4.2 能熟练对泵的润滑油脂进行检查更换； 4.3 能熟练对泵的绝缘进行检查； 4.4 能熟练对潜水泵进行解体检查	1.相关规章： 《机电设备维修规则》——潜水泵操作规定；《给排水设备维修维护规程》——潜水泵巡检规定； 2.相关知识： 《给排水培训手册》；潜水泵安装基础知识；控制柜接线原理；潜水泵基本知识及构造	1.教学重点：是掌握潜水泵组的操作方法、规范及流程；能熟练地完成设备的正常运行；理解设备维修维护规程，能熟练对潜水泵进行维护； 2.教学方法：主要是现场讲授、导师示范、现场情景模拟、案例剖析、专题性讲授、批判性思维培训、迁移性思维培训、启发性思维培训、反思性思维培训、现场情景模拟实操、教学线等； 3.培训资料：规章、文本等； 4.课时：理论2课时；实操3课时	
	潜水泵组的故障案例	1.潜水泵的信号故障处理； 2.潜水泵漏水处理； 3.潜水泵不上量处理；	1.1 能熟练对潜水泵的信号故障处理； 2.1 详见初级； 2.2 能熟练对潜水泵漏水处理； 3.1 详见初级；	1.相关规章： 《机电设备维修规则》——潜水泵维修规定；《给排水设备故障处理指南》——潜水泵的故障处理；《给排水设备维修维护规程》——潜水泵检修	1.教学重点：理解故障产生的原因，熟练掌握机电设备故障处理指南，能独立的进行潜水泵故障处理； 2.教学方法：主要是现场	

续表

业务模块	工作事项	业务活动	技能要求	知识和规章要求	培训方法及课时	经验要求
三、潜水泵组操作与故障应急处理	潜水泵组的故障案例	4.潜水泵震动大处理； 5.潜水泵绝缘阻值偏低处理； 6.潜水泵解体检查	3.2 能熟练对潜水泵不上量处理； 4.1 详见初级； 4.2 能熟练对潜水泵震动大处理； 5.1 详见初级	内容规定； 2.相关知识： 水泵安装验收规范	讲授、案例示范、现场带教等； 3.培训资料：规范、文本等； 4.课时：理论 1 课时；实操 2 课时	
四、给水泵组操作与故障应急处理	给水泵组操作	1.就地自动操作； 2.就地手动操作； 3.给水泵季保养； 4.给水泵年保养	1.1 启动前能熟练检查阀门状态； 1.1 能熟练控制箱内线路情况； 1.1 能熟练确认压力表的读数； 1.1 能熟练检查变频器及 PLC 的状态； 2.1 能熟练现场手动启动给水泵； 2.2 能熟练现场模拟自动启动给水泵； 2.3 能熟练现场确认给水泵的运行状态； 3.1 能熟练对给水泵控制箱进行双电源切换； 3.2 能熟练对控制箱内的线路进行紧固整理； 3.3 能熟练对控制箱表面进行防腐清洁； 3.4 能熟练对控制箱内的元器件进行检查； 3.5 能熟练对给水泵的润滑油脂进行检查更换； 4.1 能熟练对水泵解体检查； 4.2 能熟练对变频器和 PLC 进行检查； 4.3 能熟练对机组的参数进行校对	1.相关规章： 《机电设备维修规则》——给水泵操作规定；《给排水设备维修维护规程》——给水泵巡检规定； 2.相关知识： 变频给水设备安装基础知识控制柜线路原理；恒压给水泵组基本知识及工作原理	1.教学重点：是掌握给水泵组的操作方法、规范及流程；能独立地完成设备的正常运行；理解设备维修维护规程，能熟练对给水泵进行维护； 2.教学方法：主要是现场讲授、导师示范、现场情景模拟、案例剖析、专题性讲授、批判性思维培训、迁移性思维培训、启发性思维培训、反思性思维培训、现场情景模拟实操、教学线等； 3.培训资料：规章、文本等； 4.课时：理论 2 课时；实操 3 课时	

续表

业务模块	工作事项	业务活动	技能要求	知识和规章要求	培训方法及课时	经验要求
四、给水泵组操作与故障应急处理	给水泵组的故障案例	1.水泵的信号故障处理； 2.水泵的漏水处理； 3.水泵不上量故障处理； 4.水泵震动大故障处理； 5.水泵解体检查	1.1 能熟练对给水泵的信号故障处理； 2.1 详见初级； 2.2 能熟练对给水泵的漏水处理； 3.1 详见初级； 3.2 能熟练对给水泵不上量故障处理； 4.1 详见初级； 4.2 能熟练对给水泵震动大故障处理； 5.1 详见初级； 5.2 能熟练对给水泵解体； 5.2 能熟练判断给水泵零配件参数是否符合标准	1.相关规章： 《机电设备维修规则》——给水泵维修规定；《给排水设备故障处理指南》——水泵故障处理；《给排水设备维修维护规程》——给水泵泵检修内容规定； 2.相关知识： 水泵安装验收规范	1.教学重点：理解故障产生的原因，熟练掌握机电设备故障处理指南，能独立地进行给水泵故障处理； 2.教学方法：主要是现场讲授、案例示范、现场带教等； 3.培训资料：规范、文本等； 4.课时：理论 1 课时；实操 2 课时	1.工作经验要求：能按照要求独立掌握各项操作并能判断并解决一般常见故障，二年以上的实际工作经验； 2.效果验证方式：实操考试
五、密闭提升装置操作与故障应急处理	密闭提升装置维护	1.就地手动操作； 2.就地远程自动操作； 3.密闭提升装置季保养； 4.密闭提升装置年保养	1.1 启动前能熟练检查阀门状态； 1.2 能熟练检查控制箱内线路情况； 1.3 能熟练确认压力表的读数； 1.4 能熟练现场手动启动污水泵； 2.1 能熟练现场模拟自动启动污水泵； 2.2 能熟练远程启动污水泵； 2.3 能熟练确认污水泵的运行状态； 3.1 能熟练确认密闭提升运行状态； 4.1 能熟练对密闭提升表面进	1.相关规章：《机电设备维修规则》)——密闭提升装置操作规定；《给排水设备维修维护规程》——密闭提升装置巡检规定； 2.相关知识： 密闭提升装置安装基本知识控制接线原理；密闭提升装置的基本知识及工作原理	1.教学重点：掌握密闭提升装置的操作方法、规范及流程；能熟练地完成设备的正常运行；理解设备维修维护规程，能熟练对给密闭提升装置进行维护； 2.教学方法：主要是现场讲授、导师示范、现场情景模拟、案例剖析、专题性讲授、批判性思维培训、迁移性思维培训、启发性思维培训、反思性思维培训、现场情景模拟实操、教学线等； 3.培训资料：规章、文本	

续表

业务模块	工作事项	业务活动	技能要求	知识和规章要求	培训方法及课时	经验要求
五、密闭提升装置操作与故障应急处理	密闭提升装置维护		行除锈防腐； 4.2 能熟练对密闭提升的润滑油脂进行检查更换； 4.3 能熟练对密闭提升的绝缘进行检查； 4.4 能熟练对密闭提升进行解体检查		等； 4.课时：理论 2 课时；实操 3 课时	
	密闭提升装置故障案例	1. 密闭提升装置的漏水； 2. 密闭提升装置不上量； 3. 密闭提升装置震动大； 4. 密闭提升装置解体检查； 5.做好故障处理记录	1.1 详见初级； 2.1 详见初级； 3.1 详见初级； 4.1 详见初级； 5.1 详见初级	1.相关规章： 《机电设备维修规则》第六章；《给排水设备维修维护规程》第四章、第五章；《机电设备故障处理指南》第四章；《施工管理规定》； 2.相关知识： 电工基础知识；机械基础知识；钳工知识；管道工知识	1.教学重点：理解故障产生的原因，掌握机电设备故障处理指南，能独立的进行密闭提升装置故障处理； 2.教学方法：主要是现场讲授、现场带教等； 3.培训资料：规章、教材等； 4.课时：理论 1 课时；实操 2 课时	1.工作经验要求：能按照要求独立掌握各项操作并能判断并解决一般常见故障，二年以上的实际工作经验； 2.效果验证方式：实操考试
六、电动蝶阀、管道及阀门操作与故障应急处理	电动蝶阀、管道及阀门操作	1. 就地手动操作； 2. BAS 界面远程操作； 3.管道阀门年保养	1.1 能熟练确认电动蝶阀按钮及转换开关的作用； 1.2 能现场熟练确认电动蝶阀的开关； 1.3 能熟练现场启动电动蝶阀； 2.1 能熟练远程确认电动蝶阀的开关； 3.1 能熟练对管道的固定支架、吊架、卡箍进行检查更换； 3.2 能熟练对管道、阀门的表面进行除锈防腐；	1.相关规章： 《机电设备维修规则》——电动蝶阀操作规定；《给排水设备维修维护规程》——电动蝶阀巡检规定； 2.相关知识： 电动蝶阀操作；管道及阀门基本知识及构造；BAS 系统的作用；BAS 系统与给排水的关系	1.教学重点：掌握电动蝶阀的操作方法、规范及流程；能熟练地完成设备的正常运行；理解设备维修维护规程，能熟练对管道、阀门进行维护； 2.教学方法：主要是现场讲授、导师示范、现场情景模拟、案例剖析、专题性讲授、批判性思维培训、迁移性思维培训、启发性思维培训、反思性思维培	1.工作经验要求：能按照要求独立掌握各项操作并能判断一般常见故障二年以上的实际工作经验； 2.效果验证方式：实操考试

续表

业务模块	工作事项	业务活动	技能要求	知识和规章要求	培训方法及课时	经验要求
六、电动蝶阀、管道及阀门操作与故障应急处理	电动蝶阀、管道及阀门操作		3.3 能熟练对管道阀门的连接进行密封检查、处理； 3.4 能熟练对阀门的填料进行检查更换； 3.5 能熟练对阀门进行解体检查； 3.6 能熟练对管道的保温进行检查更换		训、现场情景模拟实操、教学等； 3.培训资料：规章、文本等； 4.课时：理论 2 课时；实操 3 课时	
	电动蝶阀、管道及阀门故障案例	1.管道连接处漏水处理； 2.管道爆管处理； 3.金属软管、波纹管爆管处理； 4.管道堵塞处理； 5.阀门漏水处理； 6.阀门故障处理； 7.执行机构故障处理； 8.阀门更换	1.1 详见初级； 1.2 能熟练处理管道连接处漏水； 2.1 详见初级； 2.2 能熟练处理管道爆管； 3.1 详见初级； 3.2 能熟练处理金属软管、波纹管爆管； 4.1 详见初级； 4.2 能熟练处理管道堵塞； 5.1 详见初级； 5.1 能熟练认清各种阀门； 5.2 能熟练处理给水阀门漏水； 6.1 详见初级； 7.2 能熟练处理单向阀故障； 7.3 能熟练处理自动泄压阀故障； 7.4 能熟练处理自动排气阀故障； 7.1 详见初级； 7.2 能熟练处理电动蝶阀执行机构故障； 8.1 详见初级； 8.2 能熟练更换各种阀门	1.相关规章： 《机电设备维修规则》——管道阀门维修规定；《给排水设备故障处理指南》——管道管路故障处理；《给排水设备维修维护规程》——管道阀门检修内容规定； 2.相关知识： 建筑给排水及采暖工程施工验收规范；给排水管道工程施工及验收规范	1.教学重点：理解故障产生的原因，熟练掌握机电设备故障处理指南，能独立的进行管道故障处理； 2.教学方法：主要是现场讲授、案例示范、现场带教等； 3.培训资料：规范、文本等； 4.课时：理论 2 课时；实操 3 课时	1.工作经验要求：能按照要求独立掌握各项操作并能判断并解决一般常见故障，二年以上的实际工作经验； 2.效果验证方式：实操考试

续表

业务模块	工作事项	业务活动	技能要求	知识和规章要求	培训方法及课时	经验要求
七、水泵控制箱操作与故障应急处理	水泵控制箱维护	1.周巡检； 2.季保养； 3.年保养	1.1 能按水泵控制箱周巡检规程对水泵控制箱进行巡检维护并做好记录； 2.1 能按水泵控制箱季检保养规程对水泵控制箱进行保养维护并做好记录； 3.1 能按水泵控制箱年检保养规程对水泵控制箱进行保养维护并做好记录	1.相关规章： 《机电设备维修规则》第五章；《给排水设备维修维护规程》第四章、第五章；《施工管理规定》； 2.相关知识： 电工基础知识；机械基础知识；钳工知识；管道工知识；给排水设备施工图纸知识	1.教学重点：理解设备维修维护规程，能独立对水泵控制箱进行维护； 2.教学方法：主要是现场讲授、导师示范等教学方法； 3.培训资料：规章、教材等； 4.课时：理论 1 课时；实操 2 课时	1.工作经验要求：能按照要求独立掌握各项操作并能判断一般常见故障，二年以上的实际工作经验； 2.效果验证方式：实操考试
	水泵控制箱故障案例	1.元器件故障处理； 2.控制箱故障报警处理	1.1 能认清控制箱内的各种元器件； 1.2 能熟练对控制箱内各元器件是否正常进行判断； 2.1 能熟练处理控制箱故障报警； 2.2 能熟练对双电源手自动切换； 2.3 能熟练看懂控制箱图纸	1.相关规章： 《机电设备维修规则》——水泵控制箱维修规定；《给排水设备故障处理指南》——电控柜故障处理；《给排水设备维修维护规程》——水泵控制箱检修内容规定； 2.相关知识： 电工知识；电气安全管理规程	1.教学重点：理解故障产生的原因，熟练掌握机电设备故障处理指南，能独立地进行水泵控制箱故障处理； 2.教学方法：主要是现场讲授、案例示范、现场带教等教学方法； 3.培训资料：规范、文本等； 4.课时：理论 1 课时；实操 2 课时	1.工作经验要求：能按照要求独立掌握各项操作并能判断并解决一般常见故障，二年以上的实际工作经验； 2.效果验证方式：实操考试
八、突发事件处理	区间消防管爆裂造成区间水淹应急处置	1.通过二级调度、环（设）调联系协调车站人员紧急关闭爆管两端区间电动蝶阀； 2.现场确认阀门关闭，管道不	1.1 了解区间消防管爆裂应急处理预案； 1.2 能熟练联系各级调度，清楚阐述现场情况； 1.3 能熟练判断电动蝶阀开度； 2.1 能熟练找到并关闭爆管点两端阀门；	1.相关规章： 《机电设备维修规则》——故障处理与事故抢修规定；《给排水设备维修维护规程》——检修过程控制与治理标准；《机电设备故障处理指南》——给排水专业；《给排水现场应急处置方案》	1.教学重点：给排水突发事件（事故）的处理流程及其工作要求、各种突发事件（事故）的注意事项；熟练掌握处理本专业突发事件的处置方法 2.教学方法：主要是课堂教授、预案演练等；	1.工作经验要求：能按照要求独立掌握各项操作并能判断并解决一般常见故障，二年以上的实际工作经验； 2.效果验证方式：实操考试

续表

业务模块	工作事项	业务活动	技能要求	知识和规章要求	培训方法及课时	经验要求
八、突发事件处理	区间消防管爆裂造成区间水淹应急处置	再喷水； 3.确保现场不侵限； 4.检查积水情况，确保区间排水正常； 5.确保列车运行安全后，向上信息汇报	3.1 能熟练确认现场不侵限； 4.1 能熟练确认区间排水设施是否正常； 4.2 能熟练临时处理现场，保证列车正常运行		3.培训资料：规范、文本等； 4.课时：理论 3 课时；实操 6 课时	
	区间排水设施故障造成区间水淹应急处置	1.水泵失电的应急处置； 2.潜水排污泵流量或扬程下降的应急处置； 3.水泵控制箱、液位计等动力、控制系统故障的应急处置； 4.管路、阀门故障导致水淹的应急处置	1.1 了解区间排水设施故障应急处理预案； 1.2 能熟练联系各级调度，清楚阐述现场情况； 1.3 能熟练处理水泵失电故障； 2.1 能熟练处理潜水排污泵流量或扬程下降； 3.1 能熟练处理水泵控制箱、液位计等动力、控制系统故障； 4.1 能熟练处理管路、阀门故障	1.相关规章： 《机电设备维修规则》——故障处理与事故抢修规定；《给排水设备维修维护规程》——检修过程控制与治理标准；《机电设备故障处理指南》——给排水专业；《给排水现场应急处置方案》		
	地面排水口堵塞造成区间水淹应急处置	1.检查排水井堵塞情况，立即联系市政部门； 2.对排水井进行进行开挖，疏通； 3.检查区间排水设施工作情况，待疏通后恢复设备正常运行	1.1 了解地面排水口堵塞造成区间水淹应急处理预案； 1.2 能熟练联系各级调度，清楚阐述现场情况； 1.3 能熟练检查排水井堵塞情况，并能联系市政部门； 2.1 能熟练组织人员对排水井进行开挖、疏通； 3.1 能熟练检查区间设备工作情况，疏通后恢复设备正常运行	1.相关规章： 《机电设备维修规则》——故障处理与事故抢修规定；《给排水设备维修维护规程》——检修过程控制与治理标准；《机电设备故障处理指南》——给排水专业；《给排水现场应急处置方案》		

续表

业务模块	工作事项	业务活动	技能要求	知识和规章要求	培训方法及课时	经验要求
八、突发事件处理	车站水管大量漏水造成车站水淹应急处置	详见初级标准 关闭相应阀门，减少漏水量 能对漏水点进行处理	1.详见初级标准； 1.2 了解车站重要阀门位置； 1.3 能熟练关闭相应电动蝶阀； 1.4 能熟练关闭相应手动阀门； 2.1 能熟练处理漏点恢复； 2.2 能熟练对修复管道进行试压； 3.1 能熟练对浸水线路进行失电处理	1.相关规章： 《机电设备维修规则》——故障处理与事故抢修规定;《给排水设备维修维护规程》——检修过程控制与治理标准;《机电设备故障处理指南》——给排水专业;《给排水现场应急处置方案》		

参考文献

[1] 赵玲萍. 中水系统纳入城市给排水系统综合规划的优化研究[D]. 天津：天津大学，2004.
[2] 董颖. 排水管网系统改扩建优化设计研究[D]. 西安：西安理工大学，2006.
[3] 任丽明. 给排水管网信息系统构建及其三维可视化研究[D]. 郑州：郑州大学，2006.
[4] 赵琰. 城市供水管网监测自动化系统研究[D]. 西安：西安理工大学，2009.
[5] 傅维秀. 城市给水管网改扩建优化方法研究[D]. 西安：西安理工大学，2006.
[6] 王晶晶. 新型给排水管道技术经济比较研究[D]. 武汉：武汉科技大学，2005.